A Faint Cold Fear Thrills Through My Veins
William Shakespeare

Zu diesem Buch

«Herr Klipp, o Gott ... o Gott ... o Gott, Herr Klipp!» stöhnte sie und schloß die Augen.

Ich war bereit, sie aufzufangen, falls sie ohnmächtig würde. Aber sie wurde nur weich in den Knien, setzte sich auf eine Treppenstufe und holte tief Luft.

«Was ist denn, Frau Drojahn», sagte ich. «Nun beruhigen Sie sich doch!» Ich klopfte ihr leise den Arm.

«Der Herr Brocksiepen ... ist ... er liegt ... in seinem Zimmer ... o Gott ... o Gott ... o Gott!»

Wenn die biedere Inhaberin einer Nordseeinsel-Familienpension zwischen Frühstück und Mittagessen in einem ihrer Fremdenzimmer einen erstochenen Playboy findet, kann man auch keine sehr klare Lagemeldung von ihr erwarten. Dabei hat sie Glück: Herr Klipp, der sich als ‹Fachlehrer› vorgestellt hat, ist von Beruf Kriminalbeamter. Leo Klipp wiederum hat Pech – die zuständigen Polizeidienststellen sitzen auf dem Festland und können erst am späten Abend eintreffen; so muß er sich plötzlich in seinem Urlaub mit sieben Verdächtigen beschäftigen – nein, es sind nur sechs; einem sehr netten Mädchen kann er selber ein Alibi für die Tatzeit ausstellen, wenn auch ein Alibi sehr persönlicher Natur ...

Hansjörg Martin, *1920 in Leipzig geboren, war ursprünglich Maler und Graphiker. Nach dem Krieg betätigte er sich als Clown, Journalist, Bühnenbildner, Dramaturg und Schriftsteller. Er hat in den letzten neun Jahren zwölf Kriminalromane geschrieben, die alle in der Reihe der rororo-thriller erschienen sind; die meisten von ihnen wurden – zum Teil für das Fernsehen – verfilmt, einige sind in mehrere Sprachen übersetzt worden. Auch ein Band Kurzgeschichten,* Tod im Dutzend *(Nr. 2237), ist erschienen; außerdem die Romane* Gefährliche Neugier *(Nr. 2069),* Kein Schnaps für Tamara *(Nr. 2086),* Bilanz mit Blutflekken *(Nr. 2138),* Cordes ist nicht totzukriegen *(Nr. 2146),* Meine schöne Mörderin *(Nr. 2161),* Rechts hinter dem Henker *(Nr. 2167),* Blut ist dunkler als rote Tinte *(Nr. 2190),* Einer flieht vor gestern nacht *(Nr. 2218),* Feuer auf mein Haupt *(Nr. 2256),* Mallorca sehen und dann sterben *(Nr. 2270) und* Bei Westwind hört man keinen Schuß *(Nr. 2286). Weitere sollen hier folgen.*

HANSJÖRG MARTIN

Einer fehlt beim Kurkonzert

KRIMINALROMAN

rororo

ROWOHLT

rororo thriller – Herausgegeben von Richard K. Flesch

DEUTSCHE ERSTAUSGABE

1.–15. Tausend	Dezember 1966
16.–20. Tausend	Oktober 1967
21.–25. Tausend	Dezember 1968
26.–30. Tausend	Dezember 1969
31.–35. Tausend	Januar 1971
36.–40. Tausend	Oktober 1971
41.–45. Tausend	Oktober 1972
46.–50. Tausend	November 1973

Veröffentlicht im Rowohlt Taschenbuch Verlag GmbH,
Reinbek bei Hamburg, Dezember 1966
Umschlagentwurf: Heinz Edelmann / Klaus Kammerichs

Gesetzt aus der Linotype-Aldus-Buchschrift
und der Palatino (D. Stempel AG)
Gesamtherstellung Clausen & Bosse, Leck/Schleswig
Printed in Germany
ISBN 4 499 42109 7

Die Hauptpersonen

Harald Brocksiepen	findet ein vorzeitiges Ende
Frau Drojahn	findet die Leiche
Agathe / Hilda } Brocksiepen	finden sich plötzlich ihres Mündels beraubt
Gesine	findet im richtigen Augenblick keinen Mut
Dr. Eisenreich	findet im falschen Augenblick ein Messer
Sylvia Eisenreich	findet einen schlafenden Liebhaber
Uschi Marckhoff	findet etwas in einem Papierkorb
Dr. Knopf	findet den Unschuldsbeweis für einen geständigen Mörder
Obermeister Maybom	findet das alles schrecklich aufregend
Oberkommissar Klipp	findet nacheinander drei Täter für ein und denselben Mord

Für W. W.

Die Mole ist etwa achtzig Meter breit und ragt vom Festland aus ungefähr vierhundert Meter ins Wattenmeer hinaus.

Backbord liegen die schneeweiß gestrichenen Schiffe, die Lebensmittel, Spirituosen, Tanzkapellen, Kellner und Kurgäste zu den Inseln bringen. Rechts schaukeln die bunten Kutter der Krabbenfischer, an deren Bug friesische Frauennamen gemalt sind, manchmal – der Unterscheidung wegen – mit römischen Ziffern dahinter: WIEBKE IV oder THEDA II.

Auf der Mole steht ein flaches Ziegelhaus, in dem das Reedereibüro ist. An seine Südwand sind drei oder vier Kioske geklebt. Da kann man Ansichtspostkarten kaufen, Kekse, Zeitungen, Muschelkästen, getrocknete Seesterne, Sonnenöl und Papiertaschentücher.

Es riecht nach Salzwasser, Schlick, Teer und Ölfarbe . . .

Ich fuhr mein Auto in die NORDSEEGARAGE, mußte die Hälfte der Vier-Wochen-Miete im voraus bezahlen, tätschelte ihm abschiednehmend den Rücken und schleppte meine Koffer zum Schiff, das mich auf die Insel Langeney bringen sollte. Das Schiff war noch leer. Ein Mann lud Milchkannen ab. Auf dem Vorderdeck im Schatten des Schornsteins saßen zwei andere, tranken Bier aus der Flasche und erwiderten meinen Gruß mit einem langsamen Nicken. Der eine verstieg sich sogar dazu, mit zwei Fingern an die Mütze zu tippen. Ich zog mir einen der Deckstühle an eine windgeschützte, sonnige Stelle und machte mir's gemütlich. In einer guten Stunde, bei auflaufendem Wasser, würde die dreistündige Überfahrt losgehen. Ich war neugierig auf die Insel, auf die Pension, in der ich Quartier bestellt hatte, auf die vier Urlaubswochen, die vor mir lagen. Ich hatte vor, mich gründlich zu erholen, zu faulenzen, zu schlafen, zu lesen – Aufregungen aus dem Wege zu gehen. Sollten die Aufregungen zweibeinig, langhaarig und hübsch gewachsen sein, so war ich nicht ganz so fest entschlossen, sie zu meiden.

Man soll sich da nicht festlegen. Menschen mit allzu starren Prinzipien werden ohnehin leicht unsympathisch.

Ich lag an Deck, malte mir aus, was mich erwartete, und freute mich darauf. Wenn ich geahnt hätte, was mich wirklich erwartete, wäre meine Vorfreude gewiß geringer gewesen. Abgesehen von der Begegnung mit Uschi waren das außerordentlich unerwünschte Aufregungen ...

«Doch wer weiß, was in der Zeiten Hintergrunde schlummert», pflegte meiner Mutter Mutter mit Schiller zu sagen.

Seltsamerweise muß ich, gerade wenn ich mich der Ereignisse auf Langeney erinnere, immer an die alte Dame und ihre Sprichwörterweisheiten denken. Bei ihr verging keine Stunde ohne Zitat. Das Repertoire, über das sie verfügte, reichte vom Alten Testament über den sogenannten Volksmund bis zur Berliner Schnoddrigkeit, von «Auge um Auge ...» über «Sich regen bringt Segen» bis «Uff mir Schiefertafel» («Auf mich können Sie rechnen!») ...

Ich wußte noch nichts von dem Toten oben im zweiten Stock der Inselpension DÜNENFRIEDEN, als wir am Vormittag meines fünften Urlaubstages in der Veranda beisammensaßen und von Messerwerfern sprachen.

Wenn meiner Mutter Mutter noch lebte, und ich würde ihr diese Begebenheit berichten, käme bestimmt postwendend von ihr die Weisheit: «Im Hause des Gehängten redet man nicht vom Strick!» – Obschon dies auf jene Situation nur bedingt zutreffen würde.

Denn wir alle wußten nichts – halt, doch, natürlich: Drei wußten schon, daß da ein Toter lag. So tot wie man nur sein kann mit einem Brotmesser bis zum Griff im Herzen. Aber die drei ließen sich nichts anmerken. Wie gut sich auch ungeübte Menschen verstellen können, wenn es brenzlig ist.

Doch ich greife vor – und das hat gerade bei dieser Geschichte keinen Sinn.

«Gut Ding will Weile haben», würde meine Großmutter sagen.

Die Musiker machten gerade Pause, als ich am Vormittag nach meiner Ankunft zum Kurpark kam. Sie hatten ihre Instrumente auf die Stühle gelegt, standen im Schatten der Holunderbüsche neben der Konzertmuschel und rauchten. Sie standen in ihren schwarzen Anzügen zwischen dem vielen Grün wie Krähen am Rande eines Saatfeldes. Der erste Teil des vormittäglichen Kurkonzertes war vorbei.

Ich warf einen Blick auf den Programmzettel, sah, daß der zweite Teil des Konzerts meine schlimmsten Erwartungen erfüllte, und überlegte, ob ich die Musik über mich ergehen lassen – oder ob ich mich im Orte gleich heute morgen nach einer Kneipe umsehen sollte, die ich zum Hauptquartier im Kampf gegen Ferienlangeweile ernennen konnte. Aber ich ließ mich von meiner Trägheit treiben, verschob die Hauptquartiersuche auf später und ließ mich am Rande der Promenade, etwas außerhalb der direkten Konzertmuschelschallwellen, auf einer Bank nieder, auf der eine ältere Dame saß und Pfefferminzdragees kaute. Zwischen dieser Bank und dem Promenadenweg wuchsen mehrere niedrige Rhododendronbüsche Schulter an Schulter. Ich konnte also die Füße der Vorüberpromenierenden nicht sehen. Dadurch entstand – von der Gleichmäßigkeit des allgemeinen Schrittrhythmus unterstützt – der Eindruck, die Menschen stünden auf einem Fließband, das sie gemächlich um die Musikmuschel transportiere. Das sah sehr komisch aus.

Das Orchester hatte sich wieder versammelt. Ein langhaariger dünner Dirigent klopfte an sein Pult. Die Streicher hoben ihre Geigen ans Kinn, die Bläser ihre Fagotte und Flöten an den Mund – los ging's.

Als das erste Stück vorüber war, sagte die mollige Pfefferminzdame an meiner Seite: «Sie wohnen auch im ‹Dünenfrieden›, nicht wahr?»

Ich erschrak ein bißchen, denn ich war auf die Anrede nicht gefaßt gewesen. Zudem hatte sie eine Stimme, die an 45er Schallplatten denken ließ, die einer mit 78 Umdrehungen laufen läßt. Und drittens war sie – die Stimme zweifellos und die Dame damit auch – aus Sachsen. Tiefstes Sachsen – irgendwo zwischen Wurzen, Glauchau und Probstheida. Schon das Wort ‹Diehnfrieden› rief in mir die schreckliche Ahnung ungezählter Stunden trauter Geselligkeit hervor, die jeder auf sich nimmt, der dem steten Kontaktbegehren jenes Stammes nachgibt.

«Ja», sagte ich trotzdem, deutete im Sitzen eine Verbeugung an und lüftete noch einmal meinen Hut, wie ich's beim Hinsetzen vorhin schon getan hatte.

«Ich wohne nämlich auch dort!» verkündete sie ... sonst wäre sie dran erstickt.

Ich sah sie an, lächelte verbindlich und nickte. Sie hatte ein kolossales Gesicht, dessen Haut ins Gelbe – unter den Augen und in den tiefen Tälern der Fettwülste sogar ins Olivgrüne spielte. Ihre Augen selbst waren klein und schwarz und flink. Ihr Mund war groß, wabblig, von unbestimmbarer Form und imponierend beweglich. Vom Gebirge ihres Busens glitzerte eine bonbonrote Glaskette mit dem riesigen Ring an ihrer linken Hand um die Wette.

Der Ring siegte, denn er bestand aus richtigem rotem Gold und einem noch richtigeren phantastischen Brillanten.

Die Dame griff zu der Schachtel neben sich und hielt sie mir vor's Gesicht: «Bitte, Herr Klipp», sagte sie, «bedienen Sie sich!»

Ich bin – das bringt schon mein Beruf mit sich, von dem noch die Rede sein wird – nicht so leicht aus der Fassung zu bringen. Aber jetzt und hier war ich so verwirrt, daß ich tatsächlich zugriff, mich stammelnd bedankte und ein Pfefferminzdragee in den Mund steckte, obschon ich die Dinger nicht ausstehen kann.

Die Dame nutzte meine Verwirrung und eine Pause im Bemühen der Musikanten: «Ja, ich weiß», sagte sie lächelnd, «Sie sind gestern abend eingetroffen! Aus Hamburg. Und Sie heißen Klipp und sind Lehrer!» Nun lachte sie und freute sich über meine Verblüffung. «Man muß sich doch orientieren», schmunzelte sie.

Es klang wie ‹oochschendieren›, und ich brauchte drei Sekunden, um zu verstehen, was gemeint war. Dazu drohte sie mir aus unerfindlichen Gründen mit ihrem Zeigefinger.

«Lehrer sind Sie, nicht wahr?»

«Ja, Fachlehrer», sagte ich eingeschüchtert und hätte beinahe noch ein zweites Mal in die angebotene Schachtel gegriffen.

Die Musiker verschafften mir eine Atempause, indem sie so vehement fiedelten und bliesen, daß auch die Dame nicht dagegen ankam. Aber dann kam wieder was Leises, mit zartem Glöckchengebimmel und Flötengetriller, und als ob die Dame meine Fluchtgedanken geahnt hätte, legte sie mir die Hand mit dem Fünfkarätigen auf den Unterarm.

«Mein Mann war auch Lehrer», teilte sie mit. «Er ist vor fünf Jahren gestorben. Das Herz. Er ist auf Magen behandelt worden – die Ärzte, na, wissen Sie!» Sie schob ihre lila Unterlippe vor und schnaubte verächtlich.

Plötzlich wich ihre Verachtung für die Ärzteschaft einem gespannten Gesichtsausdruck. Sie tätschelte aufgeregt meinen Arm und wies mit dem gewaltigen Kinn zur Promenade. «Kennen Sie die dort?» zischelte sie.

«Wen bitte?» fragte ich und versuchte ihrem Blick zu folgen.

«Die zwei Damen in Gelb dort!»

Ich sah jetzt zwei ältere Frauen in gleichen neapelgelben Kostümen, die Arm in Arm hinter den Rhododendronbüschen vorbeiglitten. Sie waren das ganze Gegenteil meiner voluminösen Nachbarin, machten einen kultivierten, scheuen Eindruck, der von ihren weißen, gepflegten Frisuren und von der Behutsamkeit ihrer Bewegungen noch verstärkt wurde.

«Das sind die Schwestern Brocksiepen», erklärte die zutrauliche Dame an meiner Seite. Sie sprach sehr schnell, um die Konzertpause auch richtig auszunutzen. «Die linke, Agathe, heißt zwar anders, denn sie ist verwitwet, aber zusammen laufen sie nur unter dem Namen Brocksiepen. Agathe ist die Ältere, man sieht's ja kaum. Sie sind auch nur zwei Jahre auseinander. Das macht dann nichts mehr – über die Mitte Sechzig ... die andere, rechts die, ist unverheiratet. Läßt sich ‹Fräulein› titulieren – na, das ist Geschmackssache. Sie haben ihren Neffen mit – warten Sie –, nein, ich sehe ihn im Augenblick nicht. Aber da ist er, der fehlt nie beim Kurkonzert. Er ist zwanzig, ein bildhübscher Bengel. Studiert in Bonn. Sehr vermögend. Die Fräuleins, oder richtiger die Tanten, sind beide Vormund. Denn der Vater des Jungen ist vor drei Jahren kurz nach seiner Frau gestorben. Das war eine tragische Sache. Ja! Erst sah es sogar aus, als ob da ein Verbrechen – Mord und so –, aber dann hat die Polizei doch Selbstmord festgestellt ...»

Ihre schwarzen Augen glitzerten fast wollüstig, als sie mir das alles mit flatternden Lippen erzählte.

Ich erinnerte mich an den Fall Brocksiepen. Er hatte seinerzeit einiges Aufsehen erregt. Brocksiepen – hieß er nicht Alexander? ... na, egal – war mit einem Messer im Herzen aufgefunden worden. Er hinterließ einen Sohn von damals siebzehn, einen Brief, aus dem das Motiv zum Selbstmord deutlich hervorging und einen hübschen Haufen Geld.

Wir hatten im Unterricht sogar mal Dias vorgeführt, die eine Rekonstruktion jenes ungewöhnlichen Selbstmordes zeigten.

Ich bin nämlich – das nebenbei – Lehrer an der Polizeischule in Hamburg und bilde Kriminalbeamte aus. Meine Fächer: ‹Spurensicherung› und ‹Verhörtaktik›.

Aber – dafür bitte ich um Verständnis – ich nenne mich im Privatleben stets nur ‹Fachlehrer› und nicht ‹Kriminaloberkommissar›. Diese sowieso zu lange Bezeichnung ist wie eine schwarze Augenklappe. Sie macht alle Menschen verrückt vor Neugier, was wohl dahinter los ist, warum und wieso ... und «Aber nein, wie interessant» ... und «Sagen Sie doch mal bitte, wie ist das mit den Verbrechern ...» und so weiter und so weiter ...

So, so, das waren also die Schwestern Brocksiepen. Sie interessierten mich nicht für fünf Pfennig. Jedenfalls noch nicht zu diesem Zeitpunkt, da ich ergeben der Kurkapelle lauschte und den Informationen der besitzergreifenden Sächsin an meiner Seite und verzweifelt durch die Nase atmete, weil ein Atmen durch den Mund den abscheulichen Pfefferminzgeschmack verstärkte, den ich auf der Zunge hatte.

‹Ein Bier!› dachte ich inbrünstig. Aber es gab kein Entrinnen. Die Kurmusik verschaffte mir vorübergehende Erholung. Doch mittendrin, gerade an einer Fortissimo-Blechbläser-Pauken-Becken-Explosion schubste und schüttelte mich die Dame und wies auf die vorübergleitende Menge. Ich nickte freundlich. Sie merkte jedoch, daß ich nicht sah, was ich sehen sollte. Deshalb rutschte sie ganz dicht an mich heran, bettete ungeniert meinen Oberarm in das tiefe Tal ihres Wogebusens und schrie mir, intensive Minzdüfte ausströmend, ins Ohr, daß der junge Mann dort – da, rechts neben der blonden Frau mit dem grünen Kleid – ja, der dort! –, der junge Brocksiepen sei.

Er sah älter aus als zwanzig. Ich hätte ihn sogar auf dreißig geschätzt. Aber er sah sehr gut aus. Groß, breitschultrig, braungebrannt, ging er mit selbstsicheren, lässigen Bewegungen, die denen junger Negersportler glichen, neben der Blonden her.

Ich habe an sich eine heftige Aversion gegen so sehr schöne Männer und höre und verbreite gern alle möglichen abwertenden Urteile über sie: daß sie schlechte Liebhaber, daß sie langweilige Ehemänner, daß sie unverbesserliche Egoisten wären – und so weiter. Aber ich bin gar nicht sicher, wieviel von meiner Abneigung auf das Konto Neid oder Minderwertigkeitskomplex geht ... denn ich selbst bin, was Wohlgestalt angeht, nicht sonderlich gesegnet. Mich tröstet, daß mir schon einige Frauen gesagt haben, sie fänden interessante Männer unvergleichbar liebenswerter als schöne. Und eine hat gesagt, ich sei interessant ...

Dieser junge Mann jedoch, Harald Brocksiepen, sah so gut aus, daß ich die Frau an seiner Seite, die hingerissen zu ihm aufsah, verstehen konnte.

Es war eine sehr aparte Frau um die Dreißig. Ihr Haar, das kurzgeschnitten den reizenden Kopf krönte, glänzte wie poliertes Messing. Das Jerseykleid, giftgrün und leuchtend, spannte sich über einen der hübschesten Popos, den ich je gesehen hatte.

Es gelang mir, meinen Arm aus dem sächsischen Gebirge zu befreien und einige Zentimeter Abstand zu gewinnen. Zu Hilfe kam mir dabei das Kurorchester, das Walzertakte intonierte und damit den Oberkörper meiner Nachbarin in Schwingungen versetzte. Aber sie war wiederum nicht so walzerselig, daß sie darüber vergessen hatte, mich mit Namen, Daten und Charakteranalysen der Prominierenden zu versorgen. Ohne es zu wollen, erfuhr ich also, daß die attraktive Blondine eine Frau Eisenreich sei, aus Münster. Den dazugehörigen Gemahl, einen Doktor, bekam ich gezeigt und geschildert ... «So ein feiner, stiller Mensch», der zehn Schritte hinter seiner Frau im großen Kreis glitt und lang, dünn, düster, mit schwarzen, langen Haaren eher einem Zauberkünstler glich als einem Privatdozenten für Literaturgeschichte – «Liddreduhr», sagte meine Informantin. Ich erfuhr, daß Frau Eisenreich steinreich von Hause aus sei, sah mit geringer Anteilnahme die zwei Kinder des Ehepaares und bemerkte voller Wohlgefallen das Kindermädchen der Familie, ein süßes, wuschelköpfiges Wesen mit ein wenig schlacksigen Bewegungen und einer Figur, die noch viel hübscher anzusehen war als die grünumspannte der Herrin.

Plötzlich – zwischen einem Harfensolo und einem großen Finale, fiel meinem Nachrichtenbüro ein, sich vorzustellen: «Wulze!» sagte sie ohne Vorbereitung, machte eine Art Verbeugung und reichte mir die Hand. Nun wußte ich es.

«Es hat mich sehr gefreut, gnädige Frau!» verkündete ich wild entschlossen, stand auf, schüttelte die dargebotene Hand herzlich und heftig, zog wieder einmal den Hut und ging schnell davon. Den Vornamen wollte ich nicht mehr wissen. Sie würde Emma heißen – obschon sie nicht wie eine Möwe aussah. Vornamen sind immer unpassend. Ich heiße Leo.

Ein sicherer Instinkt führte mich um die Ecke des Kurhauses zielbewußt in eine kleine Straße. Dort sah ich ein Schild mit der Aufschrift STÖRTEBEKERKRUG.

Ich brauchte zwei halbe Liter Bier, drei jener wundervollen klaren Schnäpse, die unter Kennern ‹Friesischer Landwein› genannt werden und eine dreiviertel Stunde, um mich zu erholen. Im dort ausliegenden *Badekurier* fand ich alle soeben gehörten Namen wieder und entdeckte, daß zu den zehn Gästen der Pension DÜNENFRIEDEN ein Fräulein Ursula Marckhoff gehörte, wohnhaft in Münster. Woraus ich messerscharf schloß, dies sei das entzückende Kindermädchen der Literarhistorikerfamilie. Ich kam zu dem Attribut entzückend, obschon ich die Beine des Mädchens noch nicht gesehen hatte. Bei den Beinen und einem vierten friesischen Landwein angelangt, sagte ich strafend «Leo!» zu mir selber und wiederholte: «Leo, kusch!» Und ich wiederholte das mit betontem Ausrufezeichen.

Während des Mittagessens ärgerte ich mich, meinen Platz bei der Ankunft gestern abend in einer Nische gewählt zu haben, denn ich hatte so keine Chance, von dem entzückenden Mädchen namens Ursula mehr als den linken Arm zu sehen. Gewiß, der Arm war – noch dazu so sommerlich unbekleidet und braun gebrannt – reizend, und er versprach hübsche Fortsetzungen herzwärts. Aber er allein war zu wenig als Blickpunkt für die halbe Stunde zwischen Suppe und Apfelmus.

Es geschah nichts an diesem und gar nichts am nächsten Tag. Ich war doch ziemlich angeschlagen nach elf Monaten Umgang mit Leuten, die von mir in die Geheimnisse des Umgangs mit Verbrechern eingeweiht werden wollten. Also verschlief ich annähernd zwanzig von vierundvierzig ereignislosen Stunden, bewunderte während fünf Mahlzeiten den hübschen Arm der entzückenden Ursula und vertrödelte die Zeit. Es gelang mir, mit lächelnden Grüßen der Frau Wulze zu entgehen. Es gelang mir nicht, weder mit Lächeln noch mit Grüßen, das Mädchen Ursula kennenzulernen.

«Sie gestatten?» fragte ich am Vormittag des dritten Tages und nahm, als der Mann mit dem großen Strohhut nickte, neben ihm auf der Bank Platz. Mein Urlaub spielte sich bisher im Bett, am Eßtisch der Pension, an der Störtebeker-Theke und – auf Promenadenbänken ab. Im Wasser war ich noch nicht gewesen. Ich hatte es nicht so eilig mit dem Sport.

Diesmal war es eine Bank an der Strandpromenade. Es war sonnig heute und der stete Wind blies relativ mild aus Osten. Es gab viel zu sehen. Ich legte mein Buch zwischen den Strohhutinhaber und mich auf die Bank. Es war ein Band Dickens, *Die Pickwickier* – eines der herrlichen weitschweifigen Bücher, die man nur im Urlaub oder nach einer Grippe im Bett mit Genuß lesen kann.

Der Mann neben mir beugte sich etwas nach rechts, studierte den Titel und hob den Kopf, um mich anzusehen. Es war der Doktor mit dem eisernen Namen – Steineisen oder Eisenhut ... Ich hatte ihn unter seiner Strohkrempe nicht erkannt.

«Mögen Sie Dickens?» fragte er mit einer dunklen, ein wenig brüchigen Stimme.

«Wenn ich Zeit für ihn habe, mag ich ihn gern», erwiderte ich.

«Ich habe mit einer Arbeit über ihn promoviert. *Dickens und die Geburt der sozialistischen Literatur*...» Er schwieg. «Bitte, entschuldigen Sie, ich möchte nicht aufdringlich...» fuhr er fort.

«Aber nein!» unterbrach ich.

«Eisenreich!» sagte er.

«Klipp!» sagte ich. «Angenehm! Im übrigen wohnen wir unterm gleichen Dach.»

«Oh!» Er war verdutzt. «Aber ich habe Sie noch nicht...»

«Nein», sagte ich, «das glaube ich. Ich sitze im Schmollwinkel. Außerdem bin ich erst vor kurzem angekommen und habe die meiste Zeit geschlafen!»

Es entstand eine Verlegenheitspause. Ich griff zum Allheilmittel, kramte meine Zigaretten heraus und bot ihm eine an. Er hatte sehr schmale, nervige Hände. Zwei Streichhölzer blies uns der Wind aus. Erst als wir näher zusammenrückten, glückte es, im Schatten seines großen Hutes die Glimmstengel in Brand zu setzen.

«Ich bin immer ein bißchen froh», sagte er, «wenn ich mal jemanden Dickens lesen sehe. Das ist selten heutzutage. Meine Studenten lesen ihn, weil es zum Pensum gehört. Aber sonst...» Er hob resignierend die Schultern.

«Ja», sagte ich, «die Zeit...»

Ich war nicht so recht bei der Sache. Es gingen viele hübsche und hübsch zurechtgemachte Frauen vorüber, und fünfzig Meter entfernt hatte ich das Mädchen Ursula entdeckt, das am Wasser mit den Kindern Ball spielte. Auch der Dickens-Doktor schien mir im Augenblick nicht sonderlich interessiert an der Geburt der sozialen Literatur. Er sog nervös an der Zigarette und guckte immerzu zum Strand hinunter. Wenn er mir wirklich mal für drei, vier Sekunden den Blick zugewandt hatte, so war sein Kopf doch immer wieder in die Richtung geschnellt, in der ihn irgendwas beunruhigte. Es war eine seltsame Kälte in seinen Augen unter dem Hut.

Als ich entdeckte, was er beobachtete, wurde mir klar, daß ihm Dickens, Sozialismus, Literatur und überhaupt die ganze Welt bis auf einen Punkt völlig schnurz war: Vor einem rot-weiß gestreiften Strandkorb saß seine Angetraute in einem Badeanzug, dessen Stoffmenge kaum für den linken Handschuh eines Liliputaners gereicht haben würde. Giftgrün – dies war wohl ihre Lieblingsfarbe – bedeckten die drei Dreiecke, von schwarzen Kordeln gehalten, das Allernotwendigste. Vor den grünen Stoffpröbchen auf der reizvollen braungebrannten Damenhaut hockte im Schneidersitz der schöne Harald Brocksiepen. Er trug auf seinem klassischen Haupt ein kleines, rundes Mützchen mit einem dicken roten Pompon, hatte sich über die breiten Schultern ein weißes Flauschhemd gehängt, dessen Ärmel unter seinem Kinn zu einem dicken Knoten geschlungen waren, und balancierte eine große Sonnenbrille auf seiner geraden Nase.

Die zwei saßen viel zu weit entfernt, als daß auf unserer Bank ein Wort ihres Gesprächs zu verstehen gewesen wäre. Aber was sich da an Gespreize, Geziere und Gehabe tat, war geeignet, Unruhe zu stiften. Wie sollte also der Herr Eisen ...-dings nicht böse werden? Aber warum ging er nicht einfach dazwischen? Scheute er den Wettbewerb mit Schön Harald? Weil der breitere Schultern hatte? Wenn meine Frau so auf Teufelkommraus mit solch einem Knaben so turteln würde – was täte ich da? Würde ich mit finsterem Gesicht von weitem zuschauen? Ginge ich hin und böte Ohrfeigen an? Wem? Beiden? – Und wenn mich der Bursche dann verhaute, vor den Augen meiner Frau vertrimmte – was war dann gewonnen?

Ein kompliziertes Problem ...

Vorläufig berührte es mich ja mehr aus der Sicht des Zuschauers, denn mein Ehehafen war noch nicht gebaggert. Ich segelte noch auf offenem Meer, auf Freibeuterei sozusagen. Außerdem bildete ich mir ein, so was von Problemen würde sich mir nie stellen.

Vielleicht lag es ja am Doktor Reizenstein – oder Eisenbart, verflixt, ich konnte den Namen nicht behalten – selber, daß er hier auf Fernsicht saß! Konnte doch sein, er versäumte über seinen Büchern hie und da mal im Buch seiner Ehe zu blättern! – Dann wäre es ja nicht verwunderlich, wenn die Teilhaberin infolge zu geringer Dividende ihr Kapital woanders anlegte. Und sie hatte ja allerlei Kapital. Ihre unverschleierten Bilanzen wiesen das deutlich aus.

Nun, das alles ging mich nichts an. Dennoch versuchte ich,

ihn ein wenig abzulenken: «Aber ganz so schwarz sehe ich das nicht, Herr Doktor! Es gibt ja sogar die alten Dichter als Taschenbücher. Nicht nur Dickens und so – noch viel ältere. Herodot, Plutarch – was weiß ich. Die werden wohl auch nicht aus Liebe zur Literatur oder für 'n paar hundert Studenten gedruckt, sondern weil man weiß, daß sie gelesen werden...»

In diese tiefschürfenden Ausführungen hinein gellten die Schreie. Den ersten hielt ich noch für einen Frohsinnquietscher, der sich grell über das allgemeine Gemurmel und Gerufe erhob. Dann aber, beim zweiten, sprangen wir beide gleichzeitig auf.

«Hilfe!» schrie jemand. Es war eine sehr helle Stimme. Eine Kinderstimme. Da – schon wieder! «Hilfe! Hilfe!» Zweimal.

Ich sah den Kopf. Ziemlich weit draußen, schon hinter dem zweiten Brandungsstreifen trieb ein Mensch. Winkte, schrie, verschwand hinter einer Woge, tauchte wieder auf. Ich lief bereits, zog mir im Laufen die Jacke aus, sprang die Böschung hinunter, rannte quer durch die Sandburgen, um die Strandkörbe herum, erreichte die Buhne, merkte nach zwanzig gestolperten Metern auf den glitschigen Steinen, daß ich da nicht rankam und wollte ins Wasser hechten – die Schuhe hatte ich schon abgestreift. Da sah ich, daß jemand mit wilden Kraulschlägen auf die Stelle zuschwamm, an der ich den treibenden Menschen zuletzt gesehen hatte.

Ich lief noch bis zum Ende der Buhne und sprang dann nach, um dem Schwimmer notfalls beistehen zu können. Es war so kalt, daß mir für drei Sekunden die Luft wegblieb. Ich hatte mir die Wiederaufnahme sportlicher Betätigung auch anders vorgestellt. Das Salzwasser schmeckte scheußlich und brannte in den Augen. Hemd und Hose hinderten mich beim Schwimmen, aber allmählich kam ich doch in Schwung und erreichte ziemlich schnell die Stelle, an der ich Kopf und Arm des Ertrinkenden zuletzt gesehen hatte. Jetzt war gar nichts mehr zu sehen. Auch den Schwimmer sah ich nicht, der eben noch durch die Brandung gekrault war. Es war schwierig, die richtige Richtung zu finden, denn das Auf und Ab der Wellen machte einen weiten Blick unmöglich. Doch – da!

Zehn, zwölf Meter entfernt sah ich einen Kopf. Ich wollte darauf zu, aber die Strömung zog mich hinaus in die offene See.

Ich versuchte die Hose auszuziehen. Der blödsinnige Reißverschluß hakte. Meine Finger waren vom kalten Wasser klamm. Endlich hatte ich es geschafft. Ade, Hose! Hatte ich nicht mein Portemonnaie in der Gesäßtasche? Egal! Die Entfernung zu dem Schwimmer, den ich für einen Augenblick auf dem Wellenkamm sah, war inzwischen noch zwanzig Meter weiter geworden. Er schleppte irgendwas. Den Ertrinkenden wahrscheinlich. Klar. Aber er hatte zu kämpfen. Ich konnte mich ohne Hose besser bewegen. Die Unterhose war gleich mit auf Grund gegangen. Jetzt noch das Polohemd. So, nackter Leo, nun aber dalli! Es schwamm sich viel besser so. Ich wurde wieder ruhiger, als ich merkte, daß ich vorwärtskam. Den Schwimmer erreichte ich nach zwei Minuten. Er war viel langsamer vom Fleck gekommen, denn er schwamm auf dem Rücken, ruderte nur mit einem Arm und hatte den anderen unter das Kinn des Kindes gewinkelt, das sich mit offenem Mund, schlaff und grünblaß, schleppen ließ.

«Lassen Sie mich mal 'n Stück!» sprudelte ich, nahm ihm das willenlose Bündel ab und schob mich darunter.

«Uff!» sagte er nur und ging erleichtert in Brustlage. Wir hatten etwa noch zweihundert Meter bis zum Strand. Der Sog war teuflisch.

Wenn man sich schon allein nur schwer dagegen zu halten vermochte, mit so einem Ballast war es fast aussichtlos. Hatten die Ochsenköpfe am Strand denn kein Rettungsboot, das uns zu Hilfe kommen konnte? Nach etwa achtzig mühsamen Metern war ich fertig. Der Mann neben mir, der sich ein bißchen ausgeruht hatte, kam auf meinen Ruf näher. Ich erkannte Brocksiepen.

«Geht's noch?» fragte er.

«Schwer!» rief ich. «Wollen wir mal zu zweien?»

Ich faßte das Kind an den Haaren. Er nahm es an der linken Schulter – aber das klappte nicht. Als wir weiterzuschwimmen versuchten, kippte der Kopf des Kindes unter Wasser. Außerdem verhedderten wir uns dauernd mit den Beinen. Die Scheißströmung zog uns schon wieder nach draußen. Zehn, fünfzehn Meter verloren wir so. Ich wollte gerade das Kleine rumdrehen und versuchen, es auf den Rücken zu nehmen – da kam endlich das flache Rettungsboot. Lange hätten sie aber auch nicht mehr warten dürfen. Die drei Männer zogen das Kind hinein. Wir beide – Brocksiepen und ich – hielten uns eine halbe Minute an der Backbordreling fest, um zu verschnaufen. Einer der Männer gab erst mir die Hand und hievte mich an Bord, während die anderen das Boot im Gleichgewicht hielten. Dann holten sie Brocksiepen ein. Das Kind, ein kleines Mädchen, lag auf den Bodenplanken zwischen den Duchten und sah aus wie tot. Der Mann, der mich reingeholt hatte, gab mir einen Bademantel. Brocksiepen saß im Bug und ordnete sich schon wieder die Lokken. Während zwei der Bootsleute ruderten, kniete sich der dritte über das Kind, drehte es auf den Bauch und begann ihm von unten den Leib zu massieren. Wasser sickerte der Kleinen aus Mund und Nase und bildete zwischen ihren langen, nassen Haaren einen Rinnsal, das mit der Bootsbewegung im Zickzack über die Planken lief.

«Wird sie's schaffen?» fragte ich.

Der kniende Mann hob zweifelnd die Schultern.

Am Strand standen Hunderte von Menschen wie eine Mauer. Es war eigenartig still, als das Boot auf den Sand knirschte. Sie trugen das Kind an Land und durch eine sich lautlos öffnende Gasse in der Menschenmauer auf die Promenade zu. Vom Eispavillon her sah ich einen dicken Mann im grauen Anzug mit einer schwarzen, prallen Aktentasche kommen. Er rannte, so gut er konnte. Das mußte der Arzt sein.

Es war immer noch sehr still. Die Menschenmauer, die zuerst aus Bäuchen und Gesichtern bestanden hatte, bestand nun aus Rücken und Hintern, als wir ausstiegen. Der dicke Doktor kletterte vom Betonweg herunter in den Sand. Dann sah ich ihn nicht mehr.

Eine Männerstimme rief: «Machen Sie doch Platz, meine Herrschaften! Gehen Sie doch bitte weiter!»

Aber die Menschenmenge rührte sich nicht.

Der Bootsmann, von dem ich den Bademantel hatte, zog neben mir das Rettungsboot auf den Strand. «Die sind schrecklich, die Leute!» sagte er mißbilligend.

«Ja», nickte ich.

Brocksiepen stand auch so rum und machte ein enttäuschtes Gesicht.

«Gefeiert werden Sie erst, wenn das Kind am Leben bleibt», sagte ich.

Der Bootsmann grinste. «Zigarette?» fragte er mich.

«Furchtbar gern!» sagte ich und griff dankbar und gierig danach, als er mir die Packung hinhielt.

In diesem Augenblick ging das Geschrei hinter der Menschenmauer los. Es setzte unvermittelt und schrill ein, wie Papageiengekreisch in den Vogelhäusern der zoologischen Gärten.

Ich fuhr zusammen – auch Brocksiepen zuckte, sogar der bärenruhige Bootsmann hob erschrocken den Kopf.

Das Gezeter ebbte ab, ging in einen weinerlichen Singsang über und hörte auf. Dafür war nun wieder die Männerstimme zu hören: «Gehen Sie doch bitte weiter, meine Herrschaften!»

Aber die Menschen standen unbeweglich. Jetzt begann das Gekreische von neuem. Es war eine Frauenstimme. Ich konnte zunächst nicht verstehen, was sie schrie. Dann hörte ich: «... ins Zuchthaus bringe ich Sie, wenn mein Kind stirbt! Ins Zuchthaus!» Mir ging, trotz aller Benommenheit nach der anstrengenden Schwimmerei, ein Licht auf. Ich drängte mich durch die stumme Versammlung. Im Sand lag das kleine Mädchen. Der Arzt machte Wiederbelebungsversuche. Er hatte sich über das Kind gebeugt und hauchte ihm seinen Atem ein. Seine Jacke war verrutscht und aus seiner Hose bauschte sich sein Hemd. Zwei Meter davon entfernt stand Frau Eisenreich. Einer der Bootsleute hielt sie fest. Mit hochrotem Gesicht, weit offenen Augen und verzerrtem Mund beschimpfte sie – völlig außer sich – Ursula Marckhoff, die wachsbleich, und wie gelähmt an der anderen Seite des knienden Arztes stand. Sie hatte den Arm um die Hüfte des weinenden Jungen gelegt.

«Mami!» schluchzte der Junge verstört und sah abwechselnd auf die große Schwester, auf Uschi Marckhoff und auf seine übergeschnappte Mutter.

Der Doktor stand mit hängenden Armen hinter dem Arzt. Er hatte seinen Strohhut verloren und blickte aus schmalen Augenschlitzen zu seiner Frau. Die Leute im Kreis guckten zu. Keiner tat was. Auf einigen Gesichtern war der Genuß zu lesen, den Sensationen verursachen. Ein Mädchen von etwa fünfzehn kicherte in sich hinein. Das alles sah ich in zehn Sekunden.

In dieser Zeit attackierte die Frau das verstörte Mädchen mit Beschimpfungen. Plötzlich ging Doktor Eisenreich schnell durch den Kreis und schlug seine Frau links und rechts ins Gesicht. Sie kam sofort zur Besinnung. Ein paar Leute lachten.

Ich weiß nicht, wie es weitergegangen wäre – das Kind im Sand gab in diesem Moment ein Lebenszeichen von sich. Der Arzt drehte es auf die Seite, es stöhnte und erbrach sich.

«Nehmen Sie schnell den Jungen und gehen Sie in die Pension!» rief ich Uschi Marckhoff zu. Sie gehorchte sofort.

Doktor Eisenreich stand jetzt neben seiner bewegungslosen Frau. Er hielt sie am Arm. Ich konnte sehen, daß er fest zugriff. Der Arzt beugte sich wieder zu dem Kind und wischte ihm das kleine Gesicht sauber, das nun einen Schimmer Farbe bekam.

Zum Essen kam ich zu spät, weil irgend jemand, der es gut gemeint hatte, meine Jacke und meine Schuhe aufs Fundbüro der Kurverwaltung gebracht und dort deponiert hatte. Ich zog also nackt unter dem geborgten Bademantel barfuß quer durch den Ort, verwünschte alle, die es gut meinen, und holte meine Sachen. Die gemeinsame Mahlzeit war vorüber, als ich endlich im DÜNENFRIEDEN eintraf. Nur Frau Drojahn, die nahrhaft aussehende Pensionswirtin, und eines der Küchenmädchen hantierten noch mit Geschirr im Speiseraum.

«Ach, Herr Klipp, na so was, da sind Sie ja!» sagte sie und rief durch den Aufzug nach unten in die Küche: «Das Essen für Herrn Klipp!»

«Entschuldigen Sie die Verspätung», sagte ich.

«Aber ich bitte Sie», unterbrach sie mich, «wir wußten nur nicht – na so was! Herzlichen Glückwunsch! Großartig haben Sie das gemacht! Sie und der Herr Brocksiepen! Na so was – und wir machen hier in aller Ruhe Kohlrouladen und haben keine Ahnung . . .»

«Hm! Kohlrouladen!» sagte ich. «Mit Kümmel?»

«Natürlich – wo denken Sie hin . . . Ah, da kommt die Suppe schon. Ach was, nicht erst umziehen! Essen Sie doch gleich so. Es ist ja keiner da. Die sind alle schlafen gegangen nach all der Aufregung. Na so was!»

«Wie geht's der Kleinen?» wollte ich wissen.

«Gut», sagte Frau Drojahn und füllte mir den Teller. Die Suppe roch gut nach Spargel und Pilzen. Ich liebe Suppen, wenn sie nicht aus zu großen Kesseln stammen.

«Sie muß zwei Tage im Bett bleiben, hat der Doktor angeordnet. Mein Gott, hat das Kind ein Glück gehabt!»

«Ja», sagte ich, «das konnte schiefgehen. Hat denn Fräulein Marckhoff nicht gemerkt, daß die Kleine zu weit rausging?»

«Sie hat ja gar nicht gewußt, daß die Kleine im Wasser war», berichtete Frau Drojahn und setzte sich, während ich die Suppe löffelte, auf die Kante des zweiten Stuhls an meinen Tisch. «Die Kinder haben mit ihr gespielt. Dann hat das Mädchen gesagt, sie muß mal. Wie Kinder so sagen. Und dann ist das Gör, bloß so aus Jux und Dollerei, oben von der Promenade nicht vom Spielen zurück, sondern allein ins Wasser. Und eh das Fräulein sie vermißt hat, da hat sie auch schon um Hilfe geschrien. Na so was. Kann keiner was dafür, nicht!»

«Nee», sagte ich.

Der Aufzug surrte. Frau Drojahn erhob sich und brachte mir die Kohlroulade. Ich war sehr froh, daß Uschi nicht schuld an der Geschichte war. Das Essen schmeckte, draußen schien die Sonne. Mein Portemonnaie hatte ich auch wieder. Es steckte in der Jackentasche. Nur die Hose war bei den Fischen und perdü. Und der Dickens. Ach ja, der Dickens ...

Am Abend des ereignisreichen Tages saßen wir alle zusammen auf der Veranda der Pension an drei zusammengerückten Tischen. Ich hatte drei volle Stunden geschlafen, meinen Spätnachmittagsbesuch im STÖRTEBEKERKRUG gemacht, die wohlverdienten zwei Schnäpse in mein immer noch mit Salzwassergeschmack überzogenes Innere befördert und mir schließlich noch eine neue Hose gekauft.

Die Eisenreichs hatten zu dieser abendlichen Feier eingeladen – «... anläßlich der Rettung unseres Kindes ...» Die drei Brocksiepens waren gebeten, Frau Wulze, meine Wenigkeit, die Pensionsbesitzerin und auch der dicke Arzt, wie ich erfuhr. Aber der kam nicht. Ein Blinddarm war ihm dazwischengeraten. Es war anfangs steif und still. Der gute Mosel lockerte jedoch bald die Zungen und Gemüter. Doktor Eisenreich gab sich heiter – wozu sein verkniffener Mund und seine kalten Augen nicht so recht paßten –, seine Frau war ruhig und fast schüchtern, bis sie einen Schwips hatte. Dann flirtete sie wieder mit dem schönen Harald, der in einem weißen Smoking erschienen war und so blendend aussah, daß sämtliche Herrenausstatter zwischen Pall Mall und Via Veneto bei seinem Anblick in Andacht versunken wären. Ich saß zwischen Frau Wulzes Sächsisch und Agathe Brocksiepens Bremisch und redete mal nach links, mal nach rechts übers Wetter, über die Callas, über Mallorca, über die Preise, über Nierensteine, Personalmangel, die Jugend von heute – und wieder über das Wetter. Ich war in Gedanken nicht dabei. Mir schräg gegenüber saß Uschi Marckhoff, die ich von Stunde zu Stunde entzückender fand.

Erst spät fiel mir Gesine auf. Gesine bediente. Vorhin, als sie die Eisbombe gebracht hatte, war sie uns von Frau Drojahn vorgestellt worden. «Gesine», hatte die tüchtige Wirtin gesagt, «wird für uns sorgen. Sie ist sonst für Küche und Einkauf zuständig. Aber heute vertritt sie netterweise die Selma, die ihren freien Abend hat.»

Das Mädchen war schlank, groß, weißblond und von einem herben Charme. Als Frau Drojahn sprach und alle zu ihr hinschauten, wurde Gesine rot, schlug die Augen mit den erstaunlich langen Wimpern nieder und deutete verlegen einen Knicks an. Aber sie fiel mir erst jetzt richtig auf, als Frau Eisenreich ihr Glas umwarf. Die Gemahlin des Doktors war mit zunehmendem Moselkonsum immer lebendiger geworden, rauchte viel und spielte mit einer Streichholzschachtel, die sie so aus dem Handgelenk in die Luft warf und auffing, wieder und wieder – bis ihr dabei das Weinglas umkippte.

«Sieh dich doch vor!» zischte der Doktor ärgerlich und ungewöhnlich scharf. Die Frau zuckte zusammen und saß wie erstarrt. Ihre Fröhlichkeit erlosch. Nur ihre Hände zitterten. Gesine, die den vergossenen Wein auftrocknete, warf Harald Brocksiepen einen Blick zu. Das war kein einfacher Bewunderungs- oder Begehrensblick. Leidenschaft blitzte hinter den langen Wimpern. Brocksiepen runzelte leicht die Stirn und ließ die Augen ganz schnell über die Anwesenden gleiten – ob jemand wohl den Blick des Mädchens bemerkt habe. Fast das gleiche:

Blick Gesines, Stirnrunzeln und prüfende Augen Brocksiepens, wiederholte sich eine halbe Stunde später, als das Mädchen die Cocktailwürstchen servierte. Es kam hinzu, daß ich Enttäuschung in ihrem Gesicht zu sehen glaubte. Nach der Würstchenesserei ließ der schöne Harry Sekt bringen. Ich verzichtete dankend und bat um Bier. Die ältere Tante verabschiedete sich. Die jüngere war zwar offensichtlich ebenso müde, denn es ging auf halb eins, aber sie blieb. Es schien eine geheime Abmachung zwischen den zwei Verwalterinnen des Brocksiepen-Vermögens zu geben, nach der immer eine auf dem Wachtposten bleiben mußte.

Frau Eisenreich war schon hübsch betrunken, ihr Mann schaute immer düsterer, Frau Wulze schlief streckenweise, ich überlegte, wie ich einen eleganten Abgang arrangieren sollte – wollte aber andererseits noch bleiben, da Uschi blieb –, und Frau Drojahn berichtete, daß am kommenden Abend die erste große Réunion im Kurhaussaal stattfinden werde.

«O ja!» verkündete die beschwipste Sylvia. «Da gehen wir morgen alle zusammen hin.»

Frau Wulze schlief jetzt ganz fest. Der Sekt hatte sie geschafft. Ich mochte nicht mehr, trank mein Bier aus und erhob mich. Die Wirtin ergriff dankbar die Gelegenheit und verkündete, daß nun Polizeistunde sei, Schluß für heute, gute Nacht. Doktor Eisenreich stand auf und sah seine Frau nur an. Seltsam, daß sie jedesmal aus ihrer Stimmung sofort zu sich kam, wenn ihr Mann sie ansprach oder – wie jetzt – nur ansah. Sie erhob sich und ging nach einem kurzen Gutenachtgruß an seiner Seite gehorsam nach oben.

Uschi Marckhoff gab mir ihre hübsche, feste Hand, sagte: «Schönen Dank, Herr Klipp!» und entzog sie mir nicht, als ich sie länger als nötig festhielt.

«Dank – wofür?» fragte ich.

«Ach, Sie wissen schon!» sagte sie lächelnd, zog nun doch ihre Hand aus der meinen und half der soeben erwachten Frau Wulze aus dem Stuhl. Gesine kam mit einem Tablett voll leerer Gläser den Gang entlang. Wenn ich mich nicht sehr täuschte, glitzerten Tränen in ihren Augen.

Der Kurhaussaal, Baujahr 1898, war auch so. Einige Dutzend jugendstilbegeisterte Architekten, Innenarchitekten und Stukkateure hatten sich bei seiner Errichtung ausgetobt. Es gab keine gerade Linie. Daß die Fensterscheiben hatten rechtwinklig gerahmt werden müssen, muß den Jüngern des Schwungs damals fast das Herz gebrochen haben.

Nun, ich mag den Jugendstil. Er hat soviel Rebellion gegen herkömmliche Regeln. Und wenn seine Ergebnisse so gut im Schuß sind wie hier – fein weiß und gold und geschliffener Marmor –, dann kann er sogar richtig schön sein.

Aber diese Réunion wird mir gewiß nicht der Innenarchitektur wegen in Erinnerung bleiben, in der sie stattfand...

Frau Drojahn hatte einen Tisch besorgt, nahe genug an der Tanzfläche, weit genug von der Musik entfernt. Das erste war gut, das zweite war noch besser, denn die elf Herren, die da Rhythmen verübten, waren sich nicht immer einig. Zunächst waren wir nur unser sieben am Tisch, denn Uschi, deretwegen ich überhaupt mitgegangen war, mußte erst noch das Einschlafen der Doktorkinder abwarten. Wie am Abend zuvor saß ich zwischen Frau Wulze und der einen Brocksiepen-Tante, die Agathe hieß. Zum Glück zog es vom Fenster her der Frau Wulze ins Genick. Sie bat mich, mit ihr den Platz zu tauschen, so daß ich neben Doktor Eisenreich zu sitzen kam. Das war sehr viel weniger anstrengend als der Konversations-Zweifrontenkrieg. Vorerst jedenfalls war es weniger anstrengend, denn der Doktor gab sich Mühe, verbindlich zu sein. Er rang sich sogar mehrmals ein Lächeln ab – soweit das Verziehen der harten Lippen als Lächeln gelten durfte. Seine Frau saß an der entgegengesetzten Schmalseite des Tisches, von den Tanten flankiert, neben Harald.

Der Kurdirektor, auf den Fußsohlen wippend, hielt von der Saalmitte aus eine Begrüßungsansprache, die einem Lehrbuch für freie Rede («Persönlichkeitsbildung in drei Monaten») entnommen sein konnte.

Und jetzt kam endlich Uschi Marckhoff. Sie hatte ein lustiges Kleid an, dunkelblau mit weißer Paspelierung, das ein bißchen an einen Matrosenanzug erinnerte. So jedenfalls würde ich mir die weibliche Besatzung der Luxusjacht gekleidet wünschen, die ich im Falle einer Millionenerbschaft ... Quatsch – Nun also kam endlich Uschi Marckhoff. Die Kapelle spielte jetzt einen Boogie. Die Leute tanzten Fox, Marsch, Rumba, Swing und Twist danach. Doktor Eisenreich bewegte mit todernstem Gesicht Frau Wulze immer am Rande des Parketts entlang. Harry lenkte die jüngere seiner Vormünder artig durchs Geschiebe. Sylvia war Nasepudern gegangen, und die ältere Brocksiepen-Tante Agathe unterhielt sich mit einem Ehepaar vom Nebentisch, das sie irgendwoher kannte. Ich konnte bei dem Krach nicht verstehen, wovon sie sprachen. Ich war auch nicht sonderlich darauf erpicht, zumal ich ziemlich sicher war, daß es sich nicht um eine Debatte über Henry Millers *Wendekreise* handelte. Uschi hätte zu keinem besseren Zeitpunkt kommen können.

Ich bugsierte ihr einen Stuhl zwischen dem des Doktors und meinen, fragte nach ihren Trinkwünschen, bot ihr an, sich meinem Frankenwein anzuschließen, der sogar für ein Kurhaus relativ gut war, füllte ihr ein Glas und sagte: «Auf ein fröhliches Zusammensein, Fräulein Marckhoff!»

«Toi, toi, toi!» gab sie zurück und ließ dabei skeptisch die hübschen Augen über den Tisch, die Runde leerer Stühle, Tante Brocksiepen und die Tanzenden gleiten.

Wir tranken. Ich sah, daß sie ganz zarte blaue Adern neben der Kehle hatte, die über das rechte Schlüsselbein in den Schatten ihres Kragens liefen. Ich hätte gern nachgeschaut, wo sie endeten ... Von da an verlor die übrige Tischgesellschaft mehr und mehr an Interesse für mich. Ich tanzte jeden Tanz mit Uschi.

Vor der großen Pause geschah etwas, daß mich etwas ernüchterte: Der Conférencier sagte ins Mikrophon, daß auf vielseitigen Wunsch nun eine Damenwahl ... Noch ehe er ausgeredet hatte, kam quer über die Tanzfläche Gesine auf unseren Tisch zu. Mit einem rosa gepunkteten Konfektionskleidchen angetan, das ihr nicht gut stand und in dem sie fremd und trotz ihrer hübschen Figur linkisch wirkte, lief sie herbei und trat von rückwärts auf Harald Brocksiepen zu, der gerade ahnungslos trank.

Sie hatte ein vor Entschlossenheit fast finsteres Gesicht, blickte keinen von uns an, beugte sich ein wenig vor und sagte zu Brocksiepen, der verblüfft aufsah: «Darf ich bitten!»

In diesem Augenblick setzte die Musik ein. Ich konnte nicht hören, was der junge Mann antwortete. Aber seine herabgezogenen Mundwinkel, sein höhnisches Gesicht und die Bewegung, mit der er sich von Gesine abwandte, waren deutlich genug. Das Mädchen wurde blaß, kniff die Augen zusammen, lief dann puterrot an und wich einige Schritte zurück, ehe es sich umdrehte und mit hängenden Schultern durch die Tischreihen zum Saalausgang rannte.

Da sich der Vorgang halb hinter ihrem Rücken abgespielt hatte, waren die Tanten und Frau Wulze nicht darauf aufmerksam geworden. Doch weder Uschi noch mir war er entgangen.

«Kleiner Schönheitsfleck auf dem fröhlichen Beisammensein», sagte Uschi neben mir.

«Ja», sagte ich nur. Ich überlegte, was diesem Auftritt zwischen Gesine und dem schönen Harry vorangegangen sein mochte. Das Mädchen sah mir nicht so aus, als ob es sich nur aus blinder Verehrung zu einer Aktion aufraffen würde, die soviel Überwindung kostete.

«Ein paar Atemzüge anderer Luft würden uns, glaube ich, guttun!» sagte ich zu Uschi.

«Ich weiß nicht...» meinte sie zögernd.

«Es soll kein Entführungsversuch sein», erklärte ich, allmählich meinen Gleichmut wiederfindend, «sondern nur eine Einladung an die Bar. Irgendwo muß es doch in diesem Laden eine Bar geben. Unser Wein ist sowieso alle. Wir sollten uns bei einem Cognac erholen.»

Sie nickte. Wir standen auf und quetschten uns hinter des Doktors Stuhl hindurch zum Gang. Ich sah ein Schild mit einer wegweisenden Hand, unter der «Zur Kurhausbar» stand.

Erst auf der Treppe dahin merkte ich, daß wir Hand in Hand gingen. Erst dann gelang es mir, die Gedanken an den Zwischenfall zu verscheuchen.

Ich hatte was zu knabbern und zwei Napoléons bestellt. Der Kellner brachte alles an den kleinen Ecktisch hinter den Bartresen, den wir in Beschlag genommen hatten. Wir saßen dort lange und versanken immer mehr in jenen Zustand, den ich bei anderen so blödsinnig und für dritte so strapaziös finde. Ohne viel zu reden, saßen wir uns gegenüber, lächelten uns an, berührten uns mit den Händen. Ich warf sogar meine sonstige Flachserei über Bord, redete ernsthaften Unsinn, rezitierte irgendwelche Verse – etwas für einen Kriminaloberkommissar von zweiunddreißig Jahren völlig unpassendes – und fühlte mich wunderbar dabei. Kurzum, es hatte mich unglaublich erwischt.

«Bitte, Uschi», sagte ich, als der wachsame Kellner den zweiten Cognac brachte, «bitte, vergeben Sie mir das Tempo... aber ich möchte... ich würde... also ich wünsche mir was. Darf ich das sagen?»

«Ich bin keine Fee», sagte sie und sah mich an, «ich kann nicht alle Wünsche erfüllen. Aber sagen dürfen Sie's schon!»

Gut. Ich klopfte mir in Gedanken selbst auf die Schulter, ermunterte mich, indem ich – unhörbar – ‹Mut, alter Leo!› zu mir sagte und legte los. Anfangs, die ersten zwei Sätze lang, ging es gut. Aber je näher ich dem Kern kam, desto stottriger sprach ich. Wie – verflixt noch mal – sollte ich erklären, daß... «Neigung...» stammelte ich und «... ich denke seit drei Tagen immerzu an Sie...» und «... geben Sie mir eine Chance...» und lauter solches ungereimtes Zeug.

«Hör auf!» unterbrach mich Uschi und legte ihre hübsche Nase auf eine unnachahmliche Weise in Vergnügungsfalten. «Hör auf, komm an meine Seite mit deinem Stuhl, sag, wie du mit Vornamen heißt und küß mich. Ich heiße Uschi!»

Ich tat sofort, gehorsam wie nie zuvor, was sie sagte und küßte sie auf den Mund.

«Oha!» sagte sie. «Und nun sag nur noch, daß du Otto heißt!»

«Leo», gab ich kleinlaut zu.

«Leo ist hübsch», sagte sie ohne zu zögern. «Komm, laß uns tanzen gehen, Leo!»

«Ich kann nicht auf einem Bein tanzen!» sagte ich.

«Aber, aber –» erwiderte sie, sah sich um, bemerkte, daß wir unbeobachtet waren und schritt nun ihrerseits zur Aktion. Es war eine zarte und hübsche Aktion.

«Was sollen die Leute denken: unmündiges Mädchen in den Fängen eines gerissenen Verführers!» sagte sie ganz ernsthaft.

«Du bist gut!» sagte ich verwirrt.

«Nein, ich bin schlecht», gab sie zurück, «lasse mich nach zwölfstündiger Bekanntschaft und zwei Cognacs von einem Mann in aller Öffentlichkeit küssen, von dem ich nur weiß, daß er Leo Klipp heißt, graue Augen hat, Kinder aus dem Wasser zieht und ...» sie schwieg.

«Und?» wollte ich wissen.

«Und schrecklich nett ist», sagte sie und wurde sogar richtig ein bißchen rot.

«Außerdem bin ich Beamter auf Lebenszeit, unverheiratet, 1,76 Kragenweite 41, unvermögend, aber eine Frohnatur und ... und ...» Jetzt schwieg ich, und sie fragte: «Und?»

«Und zu meiner eigenen Überraschung unsäglich verliebt!» Damit beugte ich mich zu ihr, um einen dritten Kuß zu ergattern. Der Appetit kommt mit dem Essen, sagen die Franzosen.

Plötzlich stand Doktor Eisenreich vor uns.

«Verzeihung», sagte er.

Wir fuhren auseinander. Er sah wie ein Gespenst aus.

«Haben Sie meine Frau gesehen oder Herrn Brocksiepen?» fragte er.

Ich schüttelte den Kopf.

«Nein», sagte Uschi.

Wir standen auf.

«Kommen Sie, ich helfe Ihnen suchen», sagte ich. «Sei lieb, Uschi, geh rauf zum Tisch. Wir kommen gleich nach.» Sie nickte mir ein wenig ängstlich lächelnd zu und ging.

«Sie sind schon eine halbe Stunde weg – ich weiß nicht ...» murmelte er. «Wenn das so weitergeht, passiert ein Unglück!»

Ich nahm seinen Arm. «Wir wollen mal draußen nachsehen», sagte ich. «Oder oben im Kurhaus. Da ist noch so eine Weinstube. Bodega. Vielleicht sitzen sie dort. Ich würde mich nicht aufregen, Herr Doktor!» Ich hatte gut reden, frisch verliebt, wie ich war, und wiedergeliebt, wie ich wurde.

Draußen konnten sie nicht sein, denn es hatte zu nieseln angefangen. Ich hielt es für unwahrscheinlich, daß ihre Narrheit so weit ging, sich miteinander auf eine der Parkbänke in den Regen zu setzen.

Die Bodega befand sich im ersten Stock. Wir mußten durch den Saal. Da herrschte üppige Fröhlichkeit. Der Kurdirektor hatte Luftballons an die Tanzpaare verteilen lassen und verkündet, daß jedes Paar, dessen Ballon am Ende des langen Walzers noch heil war, einen Preis bekäme. Mit Geschrei und Geraufe betätigten sich die Kurgäste im Wettbewerb an der Gummihüllenzerstörung. Es knallte immerzu. Sehr lustig. In der Weinstube war es ruhig dagegen. Gedämpfte Tonbanddudelei leierte Wiener Lieder. Der lange, schmale Raum war mittels weinlaubumrankter Spaliere in einzelne Nischen aufgeteilt. Dezentes Lampenlicht schuf Grinzingstimmung. Auf Brettern, die über Fässer gelegt waren, saßen Pärchen, schmusten und hielten Händchen – so, wie gerade eben Uschi und ich unten in der Bar. Aber bei uns war das natürlich was anderes.

Ich entdeckte Sylvia und Harry in der dämmerigsten Nische. Harry hatte den Arm um ihre bloßen Schultern gelegt und ließ sie gerade an seiner Zigarette ziehen, als wir hinzutraten. «Das muß ein Stück vom Himmel sein, Wien und der Wein» – offenbarte ein Bariton aus dem Lautsprecher.

Die beiden hoben den Blick. Sylvia Eisenreichs Augen waren, als sie ihren Mann erkannte, sofort voll Angst. Harald hatte das berühmte Glas zuviel und nahm nicht mal den Arm von ihrer Schulter, sondern glubschte uns nur fragend an. Eisenreich kaute an einem aufsteigenden Zorn, der das Schlimmste befürchten ließ. Deshalb griff ich ein, ehe er irgend etwas tun oder sagen konnte, und redete drauf los: «Schön, daß wir Sie gefunden haben, Frau Eisenreich. Sie werden unten schmerzlich vermißt. Ich glaube, auch Ihre Tanten ängstigen sich, Herr Brocksiepen.»

«... das ward auf Erden nie erdacht ...» quängelte der Bariton.

Wenn Brocksiepen, der schöne, große, breitschultrige Harald, eine Nummer gescheiter gewesen wäre und vielleicht weniger beschwipst, dann hätte er jetzt mitgespielt und die goldene Brücke benutzt, die ich ihm gebaut hatte. Aber so machte er den starken Eroberer, Tarzan – weinlaubumrankt – und tönte: «Was geht Sie das an, meine Herren! Gehen Sie immer voraus, und sagen Sie meinen Tanten, ich wäre in besten Händen!» Und er schlug dem Faß den Boden aus, indem er demonstrativ Sylvias Hand an seine Lippen führte und auf seine dümmerhaftige Rede noch ein «Hä, hä, hä!» setzte.

«Lassen Sie sofort meine Frau los», sagte der Doktor so laut, daß in den Nebennischen Gelächter und Gespräche verstummten und durch die Wachspapier-Weinlaubblätter neugierige Augen sich auf die Szene richteten.

«Wie? Was?» fragte Harald.

«Sofort! Oder ich vergesse mich!» fügte der Doktor leiser, aber noch drohender hinzu. Sylvia Eisenreich war auf einmal ganz blaß und offenbar sehr nüchtern. Brocksiepen aber schien den Doktor komisch zu finden. Er lachte. Das war zuviel für den Litherarhistoriker. Er griff nach Harald, kriegte ihn an der Krawatte zu fassen und wollte ihn aus der Bank zerren. Schön Harry ließ nun die Dame los und holte aus. Ich fing seinen Arm auf und hielt ihn schön fest. Er stöhnte und wollte mich mit seiner freien Hand schlagen. Doch da war der Arm des Doktors dazwischen, der immerzu an seinem Schlips zog und zerrte.

«Schluß jetzt!» sagte ich und stieß Harald so heftig zurück, daß sein Kopf gegen die Rückwand der Nische bumste. Dann nahm ich Sylvia sanft, aber bestimmt beim Arm, hob sie vom Sitz und sagte: «Geprügelt wird draußen, meine Herren. Frau Eisenreich geht jetzt mit mir in den Saal!»

Ich glaube fast, sie fand mich aufregend, weil ich die Lage so sicher klärte – aber mir lag nichts daran.

Ich führte sie ohne ein weiteres Wort aus der Weinstube hinaus, die Treppe hinab in den Saal, wo die zwei letzten Ballonpaare sich über das Parkett jagten, von Zuschauerrufen wie Boxer angefeuert. Sylvia schluchzte. «Gehen Sie und trinken Sie einen Schluck Wasser! Eiskalt!» befahl ich und ließ sie vor dem Gang zur Damentoilette stehen. Der vorletzte Luftballon auf der Tanzfläche platzte. Die Kapelle donnerte einen Tusch. Das Siegerpaar – ein Mann, der wie zwei Schrotthändler aussah, und eine spitze Frau, vor der ich als Luftballon schon aus Angst geplatzt wäre – wurde beklatscht und erhielt einen Blumenstrauß und eine Riesenflasche Alkohol.

Auf der Treppe, die zur Bodega führte, erschien Doktor Eisenreich allein. Er hatte demnach darauf verzichtet, sich mit dem hübschen Harry zu hauen.

Uschi sah mich ängstlich fragend an, als ich den Tisch erreichte.

Ich nickte ihr beruhigend zu.

Frau Wulze schlief bereits wieder. Die Musiker intonierten einen langsamen Walzer.

Wir tanzten und ich berichtete ihr, was oben geschehen war. Seltsamerweise sagte sie die gleichen Worte wie ihr Brötchengeber: «Wenn das so weitergeht, passiert noch ein Unglück.»

Es war indessen fast Mitternacht und ich fand, die Réunion könne nun ohne uns stattfinden. Uschi fand das auch. Wir beschlossen einstimmig, die Tapete zu wechseln. Es müßte doch noch Lokale geben, wo keine Schrotthändler Luftballonsieger wurden und wo ich nicht Streitschlichter vom Dienst zu spielen brauchte. Was gingen mich, Himmeldonnerwetter noch mal, die Ehekrisen anderer Leute an. Außerdem hatte ich im Augenblick sowieso ganz andere Interessen.

Ich ging also mit meinen anderen Interessen davon, durch den Nieselregen, ein paar schmale, von flimmernden Neonlichtern buntbeglitzerte Straßen weit – bis wir ein einladendes Schild über einer verhuckten Holztür sahen. BEIM ALTEN WASSERMANN sagte das Schild.

«Das kann gut sein», sagte ich zu Uschi, der ich meinen Trenchcoat umgehängt hatte, in dem sie einer wandernden Fledermaus glich. «Wassermann kann gut sein. Ich bin selber einer. Was bist du eigentlich?»

«Prachtliebend, herrschsüchtig, verschwenderisch, egoistisch, theatralisch, großmütig, treu, gerecht, prahlerisch, selbstherrlich, häuslich, mütterlich, machtliebend – dasselbe wie Napoleon, Mussolini, Richard Wagner – und ich glaube sogar Caesar ... Nun rate mal!»

«Der mütterliche Napoleon und der treue Richard Wagner ...?» Ich überlegte. «Bist du eine Löwin, Uschi?»

«Eine Löwin, Leo!» bestätigte sie – wir lachten und betraten Hand in Hand lachend den ALTEN WASSERMANN, der sich tatsächlich als eine Entdeckung erwies. Alte Holzmöbel, rohe, weißgescheuerte Tischplatten, bockig aussehende Stühle mit geflochtenen Lehnen und Sitzen, auf denen es sich herrlich bequem saß, ein Schanktisch, hinter dem eine blaue Delfter Kachelwand leuchtete, allerlei hübsches Kupferzeug – und das Ganze von einer dunkelgeräucherten Balkendecke überspannt, von der ein paar verstaubte Meerestiere hingen, Kugelfische, Seeteufel, Stachelrochen, und im Tabakdunst leise schaukelten und sich drehten.

Dazu ein Wirt, wie aus dem Bilderbuch: dick, rotbackig mit einem Schnauzbart und einem Glasauge, schnaufend und prustend, als er an unseren Tisch kam, ein richtiger Wassermann, nur – wenigstens äußerlich – trockener.

Wir entschieden uns in abermaliger Einstimmigkeit für Bier. Am Nachbartisch aßen ein paar Leute Schinkenbrot. Uschi folgte meinem Blick, als ich sie anstieß und dahinguckte.

«O ja», sagte sie und schluckte. «Ich auch!»

Es war nicht voll im ALTEN WASSERMANN. Ein Dutzend Gäste saß da, redete, lachte, aß und trank. Musik gab's keine. Das hätte auch höchstens ein Schifferklavier sein dürfen. Und als ob der Wirt meine Gedanken erraten habe, hob er – nachdem wir mit allem versorgt waren – so eine Quetschkommode hinter dem Tresen vor und fing an zu spielen. *La Paloma* natürlich und *Ick hew mol 'n Hamborger Veermaster sehn* . . . Der Dicke spielte großartig, das Schinkenbrot schmeckte großartig, das Bier, die Kneipe, wir zwei – alles war großartig.

Wir saßen, tauschten unsere Gedanken, Herzen, Wünsche und Sehnsüchte, küßten uns, streichelten uns und waren so glücklich, so überrascht von so viel Glück, daß wir beide zwischendrin immer mal tief Luft holten und uns vergewisserten, ob es auch wahr sei.

Um zwei schmiß uns der Wassermann raus.

«Ich hab ja leider nur 'ne Gastwirtschaft», sagte er, «keine Fremdenzimmer. Sonst könnten Sie ja gerne noch bleiben . . .»

Der Nieselregen hatte sich zu einem handfesten Geprassel gemausert. Die Straßen waren leer. Ein scheußlicher Wind spielte Räuber und überfiel uns an jeder Häuserecke. Ich hatte einen Hausschlüssel, schloß leise die Tür der Pension auf und noch leiser wieder hinter uns zu und schlich mit Uschi auf Strümpfen durchs dunkle Treppenhaus.

Wenn Kriminalrat Johannsen, mein Chef, mich so gesehen hätte, mein Ruf als zuverlässiger Beamter wäre hin gewesen.

Auf dem Treppenabsatz zwischen erstem und zweitem Stock, wo sich unsere Wege aus praktischen und moralischen Gründen trennten, faßte ich Uschis Hand und mir ein Herz.

«Komm mit zu mir», sagte ich.

«Du bist verrückt», flüsterte sie. Ich merkte, daß sie ein bißchen zitterte.

Wir küßten uns. Auch ihre Lippen zitterten. Es war sehr still im Haus. Die große Standuhr unten auf der Diele schnarrte, schlug einmal und summte noch ein paar Sekunden. Halb drei.

«Ach, schade!» sagte ich.

«Gute Nacht, Liebster», wisperte sie. «Wenn nur meine Zimmertür abzuschließen wäre...» fuhr sie fort und löste sich aus meinem Arm. «Manchmal fürchte ich mich ja so entsetzlich...» und wandte sich um und war in der Dunkelheit verschwunden.

Eine Stufe auf der Treppe nach oben knackte.

Bevor ich zurück in mein Zimmer ging, gut zwei Stunden danach, war es schon so hell, daß ich genau sehen konnte, wie weit das zarte blaue Äderchen lief, das ich an Uschis Kehle bewundert hatte...

Mir soll bloß einer was von Ahnungen erzählen!

Wir beide, das zauberhafte Löwenmädchen im unverschließbaren Zimmer und ich, wir ahnten jedenfalls nichts, aber auch gar nichts von dem, was sich in Haus Dünenfrieden in dieser Nacht abspielte und abgespielt hatte...

Der nächste Tag begann kalt, naß, grau, mit jener Nordsee-Ungemütlichkeit, an der die Schnapsfabrikanten ihre Villen auf Ibizza verdienen.

Laut Hausordnung gab es bis halb zehn Uhr Frühstück im Dünenfrieden. Da ich ein leidenschaftlicher Frühstücker bin und Frau Drojahns diesbezügliche Sachleistungen meiner Vorstellungen durchaus entsprachen, stand ich um neun auf, erledigte die Herrichtung zum gepflegten Bürger in Eile und schaffte es, drei Minuten vor halb zehn im Speiseraum zu sein. Die Standuhr schlug zwar schon halb, als ich mich noch auf der Treppe befand – aber sie ging vor. Es war demnach auch heute nacht noch nicht halb drei gewesen, als wir uns das erste Mal verabschiedeten, Uschi und ich.

Nach dem Frühstück, bei dem ich allein saß, ging ich hinüber zur Veranda, von der ich Stimmen, Radiomusik und Kinderlachen hörte. Fast blieb mir das «Guten Morgen!» im Halse stekken, so ein überraschendes Bild bot sich mir dort.

Links vor dem Radio saßen Herr und Frau Eisenreich. Sie saßen beieinander auf einer Polsterbank. Sylvia, im grünen Pullover und schwarzen, engen Hosen, lehnte sich zärtlich an die Schulter des Doktors, hatte ihre Hand unter seinen Arm geschoben und blätterte gemeinsam mit ihm in einer Illustrierten. Harald Brocksiepen fehlte. Seine beiden Tanten hatten sich Korbsessel an den Gas-Heizkörper gerückt, der trotz des Hochsommerdatums angezündet war. Agathe strickte. Die jüngere, die Hilda hieß, wie ich inzwischen erfahren hatte, obschon es mir gleichgültig war – die jüngere las in einem dicken Buch. Frau Wulze hatte am Blumenfenster Platz genommen und schrieb Ansichtspostkarten. Rechter Hand spielte Uschi mit Jojo und der genesenen Christine, die Kiki gerufen wurde, Mensch ärgere dich nicht. Alle blickten auf, als ich «Guten Morgen» wünschte.

Jeder Blick war anders: Frage und irgendwelche Unruhe bei den Eisenreichs. Leichte Mißbilligung bei den Tanten. Neugierde bei Frau Wulze. Liebe – schlecht getarnt als Gleichgültigkeit – bei Uschi. Nettigkeit bei den Kindern. Ich fragte die Kinder, ob ich mitspielen dürfte.

«Das nächste Spiel!» sagte Jojo. «Wir sind bald fertig.»

«Abgemacht», sagte ich, zündete mir eine Zigarette an, griff nach der Zeitung, die auf einem Stuhl lag, und setzte mich ans andere Fenster.

Es gab auf der Titelseite wenig, was meine Aufmerksamkeit erregte. Auf der zweiten Seite war das Blatt noch langweiliger. Auf der dritten Seite war ein interessanter Bericht über den Prozeß gegen Roberto Carra, dem Artisten. Carra – ein berühmter Jongleur und Messerwerfer – hatte vor vier Monaten bei einem Auftritt vor der Fernsehkamera seine Partnerin getötet. Ein paar Millionen Leute hatten zugesehen, wie der attraktiven Blondine einer der langen Dolche, die wie Brotmesser aussahen, in die Halsschlagader fuhr, wie sie lautlos zusammenbrach und wie Carra völlig irre um sich schlug, als ihn zwei Männer festhielten. Der Kameramann hatte brav die ganze böse Szene gekurbelt und im Sender schienen sie alle zu schlafen. Es dauerte drei Minuten, bis sie das Bild wegnahmen, abbrachen und sich entschuldigten. Der Vorfall war seinerzeit Anlaß zu einem Riesensturm gewesen. Von Groschenblättern angefacht, hatte die Volksseele gekocht. Natürlich war das arme Mädchen Carras heimliche Geliebte gewesen, schrieben die Gazetten. Ein Kind erwartete sie auch. Mord! schrien die Schlagzeilen.

Die Tageszeitung, die ich in der Hand hatte, gehörte zur seriöseren Sorte und brachte einen zweispaltigen objektiven Bericht über den Prozeß. Die Geschworenen hatten Carra freigesprochen. Bei eingehender Untersuchung hatte sich nämlich herausgestellt, daß die Tote zwar wirklich ein Kind erwartete, daß aber Carra nicht der Vater war. Der Artist führte – wie übrigens die meisten Artisten – ein glückliches Familienleben und galt als außerordentlich solider und disziplinierter Mann. Was ja ohnehin eine Voraussetzung für seinen Beruf war. Leute mit zittrigen Händen sind als Messerwerfer im allgemeinen nicht sonderlich erfolgreich.

Frau Wulze war mit ihrer Postkartenschreiberei fertig. Sie erhob sich und kam auf dem Weg zum Hausflur hinter mir entlang.

«Was!» rief sie plötzlich. «Den Carra haben sie freigesprochen! Haben Sie das schon gelesen?»

Sie wandte sich an alle Anwesenden, als hätte sie eine Schulklasse vor sich. Wulze selig war Lehrer gewesen, das hatte auf seine Frau abgefärbt.

«Das hätte ich nicht geglaubt», fuhr sie fort, «was meinen Sie, Herr Klipp?»

«Ich habe es immer für einen Unfall gehalten, Frau Wulze», sagte ich, «wenn einer jemanden umbringen will, sucht er sich dafür nicht eine Gelegenheit aus, bei der Millionen zuschauen.»

«Oder erst recht!» widersprach die dicke Sächsin. «Haben Sie den Mann nicht gesehen? Ich kann Ihnen sagen – wie der schon aussah! Das Bärtchen und so 'n brutales Kinn . . . und die fettigen, schwarzen Haare . . . Na wissen Sie! Raffiniert, raffiniert, der Kerl! Ich hätt gedacht, die sperren ihn wenigstens wegen Totschlag ein . . .»

Als ich mich nicht weiter dazu äußerte, sprach sie den Doktor an. «Herr Doktor, Sie sind doch ein gebildeter Mann – hätten Sie geglaubt, daß der Carra . . .»

«Verzeihung?» fiel Doktor Eisenreich, der offenbar bisher nicht zugehört hatte, mit fragendem Lächelndn ein. «Carra? Ich weiß nicht ...?»

«Na, dieser Messerstecher, dieser Artist», rief Frau Wulze und regte sich allmählich richtig auf, «der da mit einem Brotmesser das Mädchen umgebracht hat ... wissen Sie nicht?»

«Nein, nein», sagte Eisenreich stotternd mit erschreckt aufgerissenen Augen. Er mußte empfindsamer sein, als er aussah, wenn ihn so eine Mitteilung so sehr aus der Fassung brachte.

Seine Frau legt ihm beruhigend die Hand auf die Schulter. «Das ist vor einigen Monaten passiert, Anselm!» erklärte sie.

«Ach so – nein», sagte der Doktor, «ich weiß nichts davon, gnädige Frau!»

«Na so was», staunte Frau Wulze, «alle Welt hat darüber gesprochen und ...»

Sie wurde vom Auftreten Frau Drojahns unterbrochen.

«Bitte entschuldigen Sie», sagte Frau Drojahn, «ich muß etwas ansagen, bitte ...» Sie sah sich um. «Ist Ihr Herr Neffe nicht da?» fragte sie die Tanten Brocksiepen.

«Nein – er schläft noch!» sagte Agathe, die Witwe, beiläufig und strickte weiter.

«Wenn Sie's ihm dann ausrichten möchten», bat Frau Drojahn, «wir können erst heute nach 13 Uhr Mittagessen. Ich schaffe es nicht eher, weil mich Gesine so plötzlich verlassen hat.»

«Ach?» sagte Frau Wulze, die gleich eine kleine Sensation witterte.

«Ja – denken Sie nur», erläuterte Frau Drojahn, «halb elf gestern abend kommt sie nach Hause. Sie hatte frei für den Abend. Ganz totenblaß sieht sie aus – und kommt zu mir ins Schreibzimmer, wo ich noch saß und sagt, es täte ihr ja leid, aber sie müsse sofort nach Hause, sie sei krank. Und weint und ist ganz verstört ... Na, was sollte ich machen? Sie sah wirklich schrecklich elend aus und ist noch in der Nacht mit dem Fahrrad auf und davon, nach Hause auf den Hof ihrer Eltern am Südende der Insel. Reisende soll man nicht aufhalten ... Aber nun habe ich Küche und Haus mit Selma allein und ...»

Den Rest hörte ich nicht mehr. Uschi sah mich an. «Das arme Mädchen!» sagte sie leise.

Hilda Brocksiepens Buch schien eine langweilige Passage zu haben. Sie klappte es zu, stand auf und ging nach draußen, vor die Veranda. Es regnete nicht mehr.

Nach kurzer Zeit kam sie wieder herein und sagte mit ihrer etwas krächzigen Altfrauen-Stimme, daß es nicht mehr regnete. Ja, und sie wolle also nun zum Kurkonzert.

Das Kurkonzert fand bei schlechtem Wetter im Saale statt. Die großen Saaltüren, die zur Terrasse führten, wurden dann weit geöffnet, und die Gästemenge promenierte auf den gedeckten Innenhofgängen, die sich um das ganze Gebäude des Kurhauses zogen.

Hilda Brocksiepens Kurkonzertbegeisterung steckte die gesamte Verandagesellschaft an. Frau Wulze, die ältere Tante, Eisenreichs einschließlich der Kinder – alle wollten mit.

«Wir können ja nachher mit Ihnen Mensch ärgere dich nicht spielen», tröstete mich Jojo. «Wenn's wieder regnet!»

«Ihr könnt mich auch mitnehmen», sagte ich.

«Wenn Uschi das erlaubt», meinte Kiki.

«Da sehe ich allerdings schwarz», sagte ich.

Uschi machte ihr Kindermädchengesicht: «Ausnahmsweise will ich's erlauben. Aber gutes Betragen bitte ich mir aus!»

Ich amüsierte mich, wie geschickt sie die Anrede umschiffte. Ich ging also mit. Was tut man nicht alles aus Liebe! Später, im Falle eines Ehekrachs, würde ich auftrumpfen können: «Sogar Kurkonzerte habe ich mir um deinetwillen angehört – und du wirfst mir vor, ich hätte dich nie geliebt . . .»

Wir prominierten im Viereck unter dem Schutzdach. Aus dem Saal erklang *Mondschein auf der Alster, Spanisches Intermezzo, Reigen der Blumen* und so weiter – wie gehabt.

Ich ging an Uschis Seite hinter den Kindern her und kam mir komisch vor. Frau Wulze hatte auf einer Bank an der Saalwand ein Opfer gefunden und brachte ihr Wissen an. Die Schwestern Brocksiepen liefen im gleichen Trippelschritt zehn Meter hinter uns. Und vor uns, Hand in Hand, ging das Ehepaar Eisenreich.

«Verstehst du das?» fragte ich Uschi.

Sie schüttelte den Kopf. «Ist mir auch gleichgültig», sagte sie.

«Wenn ich nur wüßte, was dich so beschäftigt!» frozzelte ich.

«Scheusal», zischte sie und zog die Nase kraus.

Ich hätte sie so gern geküßt – aber das ging nun wirklich nicht.

Fast eine Stunde lang trotteten wir alle so herum.

Nur Harald Brocksiepen fehlte.

Ich trat ein bißchen fröstelnd vom fehlenden Schlaf, bis ans Kinn angefüllt mit wunderschönen Melodien, einen ganz kleinen Kater im Hinterkopf und einen ganz großen Durst auf der Zunge – ich trat in die Pension Dünenfrieden ein, um mir zur Finanzierung eines Frühschoppens meine Geldbörse zu holen, die ich wieder mal liegengelassen hatte.

Die Klinke der Verandatür hatte ich noch in der Hand – da schrillte der Schrei durchs Haus.

Der Schrei war so voller Entsetzen, daß ich sofort aus meiner Kater- und Kurmusikduseligkeit aufschreckte, die Tür hinter mir zuwarf und losrannte. Frau Drojahn kam wie gejagt die Treppe herab. Sie hielt sich mit der einen Hand am Geländer fest und umkrallte mit der anderen das Revers meines Anzugs, als sie mich erreichte.

«Herr Klipp, o Gott... o Gott... o Gott, Herr Klipp!» stöhnte sie und schloß die Augen.

Ich war bereit, sie aufzufangen, falls sie ohnmächtig würde. Aber sie wurde nur weich in den Knien, setzte sich auf eine Treppenstufe und holte tief Luft.

«Was ist denn, Frau Drojahn», sagte ich und überlegte, was los sein konnte, «nun beruhigen Sie sich doch!» Ich klopfte ihr leise den Arm.

«Der Herr Brocksiepen... ist... er liegt... in seinem Zimmer... o Gott... o Gott... o Gott!»

Ich wußte immer noch nicht, was nun mit Herrn Brocksiepen war – nur schwante mir, daß es nichts Fröhliches sein müsse.

Ich ließ Frau Drojahn sitzen und lief – drei Stufen mit jedem Schritt – die Treppe hinauf. Harald Brocksiepens Zimmertür stand weit offen. Er lag rücklings auf seinem Bett. Seine rosahellblau gestreifte Pyjamajacke hatte auf der linken Brustseite einen großen dunkelbraunen, fast kreisrunden Fleck, wie ein großes Clubabzeichen... aber mitten aus dem Clubabzeichen ragte ein Messergriff – nur der Griff. Von der Klinge war nichts

Hoffnungsvolle Erben . . .

... leben gefährlich, wenn sie so unvorsichtig sind, in einen Kriminalroman zu geraten. Dieser Erbe zum Beispiel ist sehr tot.

Das Leben ist offenbar eine gängige und wohlfeile Währung: Mit dem Leben bezahlt man seit Jahrtausenden so mancherlei. Von Nachteil ist es, daß man nur einmal damit bezahlen kann. Deshalb trennt, wer höflich um «Geld oder Leben!» gebeten wird, sich leichter von ersterem. Geld läßt sich wieder sparen.

zu sehen, die steckte bis zum Heft in Haralds schöner, breiter Brust, genau an der Stelle, unter der sich der Motor befindet.

Haralds Augen waren geschlossen. Sein hübsches Gesicht, sonst glatt und selbstbewußt, hatte einen Schimmer von Bart und sah klein, ganz jung und schrecklich tot aus. Das Zimmer war in Ordnung. Einen Kampf hatte es nicht gegeben. Der schöne Harry war im Schlaf umgebracht worden. Nur seine verkrampften Hände, die eine dicht neben dem Messer auf der Brust, die andere in die Bettdecke gekrallt, wiesen auf einen kurzen Moment bewußten Sterbens.

Ich ging zu dem Toten, legte meinen Handrücken auf seinen Unterarm. Er war kalt wie Porzellan. Das Messer mußte schon vor einer ganzen Reihe von Stunden dem Leben des hoffnungsvollen Erben ein Ende gesetzt haben.

Ich sah mich um.

Normalerweise findet man niemals den Zigarettenstummel mit der Lippenstiftfarbe der Mörderin, noch seltener liegt neben dem Toten die Brieftasche mit dem Personalausweis des Mörders – und auch der Knopf vom Mantel des Täters in der Faust des Opfers ist eine Erfindung – oder ein Wunschtraum.

Dennoch sieht sich auch der nüchternste Kriminalist zuerst mal nach so was um. Es könnte ja sein ...

Ich fand weder Zigarettenstummel noch Knopf. Ich faßte auch nichts an, hob nichts auf, änderte keinen Millimeter an der Lage irgendeines Gegenstandes – ich ging aus Brocksiepens Zimmer, schloß hinter mir die Tür, öffnete sie noch mal, zog den Schlüssel von innen mit dem Taschentuch ab und verschloß die Tür von außen. Dann ging ich langsam die Treppe hinunter, setzte mich neben die Wirtin auf die Stufe und sagte: «Zu keinem ein Wort, Frau Drojahn, bevor die Mordkommission da ist, verstanden!» Ich legte ihr beschwichtigend die Hand auf die Schulter, erhob mich und ging zum Telefon.

«Mordkommission ...» stotterte Frau Drojahn und fing an leise zu weinen.

Ich wählte die Nummer der Polizei, die auf einer Karte über dem Telefon zu lesen war.

«Polizeirevier Langeney, Obermeister Maybom!» meldete sich eine Stimme.

«Pension Dünenfrieden», sagte ich, «kann ich bitte Ihren Dienststellenleiter sprechen!»

«Das bin ich», sagte nicht ohne Stolz die Stimme des Herrn Maybom, «worum handelt es sich denn?»

«Mein Name ist Klipp», erklärte ich. «Ich bin Kollege von Ihnen, Herr Maybom. Kripo Hamburg. Ich bin als Gast hier auf der Insel. Bitte kommen Sie doch her. Hier ist jemand ermordet worden!»

«Was?» fragte der Obermeister erschrocken.

«Ermordet», wiederholte ich und fuhr fort – obschon es völlig unangebracht war – «ich halte es jedoch für ratsam, wenn Sie ohne Blaulicht und Sirene kommen und ...»

«Das lassen Sie mal meine Sorge sein», schnauzte der liebe Kollege, «fassen Sie bloß nichts an!»

«Wie Sie wünschen», sagte ich, «aber vielleicht verständigen Sie inzwischen schon die Mordkommission, falls Sie die Sache nicht selber klären wollen ...»

Klick – legte der insulare Gesetzeshüter auf. Er schien eine sensible Dienstauffassung zu besitzen. Na bitte.

Fünf Minuten später war er da. Immerhin wirklich ohne Blaulicht. Er begrüßte die verstörte Pensionswirtin mit Handschlag, denn sie kannten sich.

Mich würdigte er – ich wußte nicht, ob aus Mißtrauen oder Respekt – nur einer knappen Verbeugung, zu der er die Hand an den Schirm seiner Mütze legte.

«Maybom», sagte er dazu noch mal. So schön fand ich den Namen gar nicht.

«Klipp!» sagte ich und erwiderte seine Verbeugung.

«Wo ist...?» Er wußte nicht, ob er «der Tote», «die Tote», «die Leiche» oder was überhaupt sagen sollte.

«Oben im ersten Stock, Zimmer sieben!» half ich.

Er schritt, bis in die hohen Schnürstiefel Pflichtbewußtsein ausstrahlend, die Treppe hinauf. Frau Drojahn und ich folgten ihm. Vor Brocksiepens Zimmertür angelte ich den Schlüssel aus der Tasche und überreichte ihn. Maybom schloß auf und wollte zur Klinke fassen.

«Vorsicht», sagte ich, «Fingerabdrücke!»

«Ja, natürlich», sagte er erschrocken und ärgerte sich.

Ich hatte ihn nicht ärgern wollen. Aber ich dachte an die Flüche, die die Kollegen nachdem ausstoßen würden, wenn sie außer den klaren Fingerabdrücken der Frau Dojahn auch noch die des unachtsamen Orts-Polizisten finden würden.

Maybom suchte in seinen Taschen nach einem Taschentuch, fand aber keins. Meines mochte ich ihm nicht geben, also drückte ich die Türklinke mit dem Ellbogen herunter. Die Tür sprang auf. Brocksiepens Bartschatten erschien mir dunkler als vorhin. Aber das mochte am Licht liegen. Draußen hatte sich wieder blaugraues Gewölk zusammengebraut. Als der Polizist auf die Leiche zuging, prasselten schwere Tropfen ans Fenster. Zwischen den leisen Modergeruch, den alle solche Pensionszimmer an sich haben, zwischen den intensiveren Geruch nach kaltem Rauch, der aus Brocksiepens Kleidung stammte, zwischen den chemischen Geruch irgendeines Rasierwassers oder Körperpuders schob sich in kleinen Wellen der widerlich süße, klebrige Geruch, der zu einer Begebenheit wie dieser gehört. Es roch nach Tod, und mir wurde – wie immer – wieder einmal übel davon.

«Man könnte vielleicht das Fenster ein wenig . . .» sagte ich.

Maybom, der mit verschränkten Armen vor dem Toten stand und ihn mit zusammengekniffenen Augen betrachtete, fuhr herum.

«Es wird nichts angerührt!» polterte er los. Und dann tat er etwas völlig Unerwartetes. Er wandte sich zu mir, kam zwei Schritte auf mich zu und sagte barsch: «Darf ich wohl mal Ihren Dienstausweis sehen?»

Frau Drojahn, im Türrahmen, rief: «Aber der Herr Klipp wird doch nicht, der kann doch nicht – Herr Maybom, der Herr Klipp ist doch Lehrer, der hat doch . . .»

«Lehrer?» Maybom sah mich an, als hätte ich die Mordwaffe noch in der Hand. «Ich denke, Sie sind – sagten Sie nicht am Telefon –?»

«Augenblick!» gab ich zurück, holte meine Brieftasche heraus und zeigte dem Obermeister meinen Ausweis. Er nahm ihn, studierte ihn kurze drei Sekunden und funktionierte so prompt, wie alle Beamten unseres Landes angesichts von Titeln funktionieren. Er nahm Haltung an, richtig mit Hacken aneinander, linke Hand an der Hosennaht und dem Blick, der vor Beflissenheit fast überläuft: «Danke, Herr Oberkommissar!» schnarrte er. «Bitte um Verzeihung – aber ich wußte ja nicht, daß – ich fühlte mich verpflichtet, zu prüfen ...»

«Schon gut, Herr Maybom», sagte ich, ging zum Fenster und machte es auf, denn mir war nun noch viel übler geworden. Über die Schulter sagte ich: «Würden Sie es nicht für richtig halten, die Mordkommission schnellstens anzurufen?»

«Jawohl, Herr Oberkommissar!»

«Seien Sie nett, lassen Sie den Titel und das Hackengeknalle», sagte ich. Frau Drojahn, die verdattert von einem zum anderen sah, setzte ich ins Bild, indem ich ihr kurz erklärte, wie das mit dem ‹Fachlehrer› und dem ‹Oberkommissar› zusammenhing.

Maybom stand – von der Mordtat und der plötzlichen Begegnung mit einem ‹Vorgesetzten› gleichermaßen erschüttert – immer noch ratlos herum.

«Herr Maybom», sagte ich, «rufen Sie an! Wo sitzt denn die zuständige Kriminaldienststelle? Die brauchen doch eine Weile, bis sie hier sind. Rufen Sie an, Menschenskind, wir dürfen keine Zeit verlieren!»

«Jawohl!» sagte er.

Ich sah ihm an, daß er nachdachte.

Dann blickte er auf seine Armbanduhr. «In gut zwei Stunden ist Flut», verkündete er.

«Ja und –?» Ich wurde nervös. «Was hat das mit Ihrem Anruf zu tun?»

«Das Schiff ist vor einer knappen halben Stunde drüben weg! Wenn ich jetzt anrufe – die Kollegen können erst in ...» er rechnete «... ungefähr zwölf Stunden hier sein!»

«Ach du grüne Neune!» Ich zündete mir eine Zigarette an, warf das Streichholz zum Fenster hinaus und überlegte. «Zwölf Stunden?» fragte ich vorsichtshalber noch mal nach.

«Ja, mit dem nächsten Schiff!» nickte Maybom, der seine anfängliche Barschheit gegen eine dümmliche Treuherzigkeit eingetauscht hatte – die natürliche und instinktiv beste Waffe aller Untergebenen gegen Gefahren wie neue, unbekannte Vorgesetzte, Katastrophen, plötzlich zu treffende Entscheidungen, Verantwortung jeder Art und so weiter.

Indem ich das Fenster wieder schloß, wurde mir klar, daß ich nicht drumrum konnte. Ich mußte – wenigstens bis zum Eintreffen der Herren Kollegen vom Festland – den Fall Brocksiepen in die Hand nehmen. Und ich mußte, das wurde mir sofort auch klar, alles dransetzen, ihn aufzuklären, wenn ich mir später nicht sagen lassen wollte: «Du hast im Nebenzimmer geschlafen, Klipp; du hast die Leute alle gekannt; du hast sogar alle im Hause versammelt gehabt, die etwa als Täter in Frage kommen – und was hast du erreicht?»

Schön – oder vielmehr Schiet, ich saß drin.

Und ich hatte mich so auf das Schinkenbrotessen mit Uschi im WASSERMANN gefreut, das wir uns vorgenommen hatten, heute zu wiederholen. Ganz abgesehen von allem anderen, auf dessen Wiederholen ich mich gefreut hatte. Es gibt ja Dinge, die kann man immer wieder tun, ohne daß sie einem über werden...

«Kusch, Leo!» sagte ich abermals unhörbar zu mir selber. Es bestand ernsthafter Anlaß, «Kusch!» zu sagen. Der Anlaß lag da, hatte ein Messer in der Brust und...

«Frau Drojahn», sagte ich zu der verstörten Wirtin, «ach bitte, sehen Sie sich das Messer mal an, wenn Sie's über sich bringen, ein bißchen näher heranzugehen, ja! Kommen Sie, so. Nicht zittern, ich bin ja bei Ihnen! Also gut. Haben Sie es gesehen? Kennen Sie's?»

Frau Drojahn wandte sich mit zitternden Lippen ab. «Es ist, glaub ich, aus unserer Küche...» stammelte sie.

«Ein Brotmesser oder so was?» wollte ich wissen.

«Ja», sie floh zur Tür. «Wir verwenden es zum Brotschneiden – auch für Fleisch und Wurst... ich habe drei davon...»

Unten im Haus wurde Türenklappen und Stimmengewirr laut.

«Schnell, gehen Sie runter!» sagte ich zu Maybom. «Bitten Sie alle Gäste in die Veranda. Bitten Sie, verstanden! Und sagen Sie nichts. Ich rufe die Mordkommission an. Haben Sie die Nummer?»

«Neustadt 499!» kam es – wie aus der Pistole geschossen – aus dem Wachtmeistermund. Dann machte er kehrt und stapfte die Treppe hinunter, gerade im richtigen Augenblick, um Frau

Wulze und Agathe Brocksiepen am Heraufsteigen zu hindern. Ich hörte ihre erstaunten Stimmen.

«Kommen Sie, Frau Drojahn!» sagte ich, nahm die Wirtin am Arm und ging mit ihr, nachdem ich Brocksiepens Leiche wieder eingeschlossen hatte, die Treppe ebenfalls hinab, den Flur entlang in ihr Arbeitszimmer.

«Lassen Sie uns die Ruhe behalten, so gut es geht, Frau Drojahn», sagte ich beschwichtigend. «Wenn Sie hier einen Schnaps haben, spendieren Sie uns beiden einen. Er wird uns guttun.»

Sie versuchte zu lächeln, was ihrem verweinten, verquollenen Gesicht den Glanz eines Hefekloßes verlieh, über den jemand flüssige Butter gießt. Dann holte sie aus dem hübschen Wandschrank eine Flasche und zwei Gläser. «Soll ich auch eins für Herrn Maybom...?» fragte sie.

«Nein», sagte ich rachsüchtig, «der ist im Dienst!» – und nun mußte ich lachen. Ich konnte auch lachen, was Frau Drojahn eingoß, war nämlich ein wundervoller samtiger Cognac – genau das, was ich nach der gehabten Entdeckung, nach dem Schreck und dem Geruch, der den Schreck begleitete, gut gebrauchen konnte. Die Pensionswirtin goß sich ebenso randvoll ein wie mir. Sie schien dieser Art Tröstung weder fremd noch abgeneigt gegenüberzustehen.

«Prost!» sagte ich.

«Prost, Herr Klipp!» sagte sie und setzte sich, trinkend, mir gegenüber. Das sah sehr komisch aus, wie sie gleichzeitig den Arm mit dem Glas hob, den Kopf in den Nacken legte und die Knie beugte.

Ich hatte soviel Lust, albern zu sein – aber ich durfte es hier und jetzt durchaus nicht.

«Noch einen?» fragte Frau Drojahn.

«Erst mal telefonieren!» sagte ich.

Sie goß schon ein. Es tat ihr offenbar gut.

Als sie den Telefonapparat vom Gang hereinholte, drang wie ein Wasserschwall das aufgeregte Gerede von der Veranda ins Zimmer. Ich stellte mir Maybom vor, den Tanten und Frau Wulze gegenüber, die ihm gewiß kräftig zusetzten. Uschi tat mir leid – falls sie dabei war. Aber ich mußte erst in Neustadt anrufen, ehe ich zu ihnen ging.

Am anderen Ende der Leitung meldete sich die Kripo in Neustadt. Ich verlangte den Chef. Es knackte, und dann kam eine junge Stimme. Ich sagte meinen Namen, berichtete, was los war und fragte, was geschehen solle. Die junge Stimme schwieg zwei, drei Sekunden, dann sagte sie: «Wenn ich richtig verstanden habe, spricht dort Herr Oberkommissar Klipp aus Hamburg, ja?»

«Sie haben richtig verstanden», sagte ich.

«Hier ist Korn, Cornelius Korn», sagte mein ferner Partner, «ich war vor drei Jahren Ihr Schüler. Sie werden sich vielleicht erinnern...»

«Korn?» sagte ich und stöberte in meinem Gedächtnis.

Er war eifrig bemüht: «So ein langer, blonder mit Sommersprossen...»

Zum Teufel, ja – ich hatte in jedem Jahr einige Dutzend junge Leute vor mir sitzen. Da waren viele blonde dabei, auch viele blonde mit Sommersprossen, und noch mehr lange, blonde. Aber ich mochte ihm nicht weh tun.

«Ja – klar!» rief ich, Erinnerung mimend. «Hatten Sie nicht damals gerade Heiratspläne?»

Die meisten, die in meinen Kursen saßen und damit vor der Beförderung standen, hatten gerade Heiratspläne.

«Und ob!» Er freute sich. «Ist inzwischen auch passiert, Herr Oberkommissar!»

«Glückwunsch!» sagte ich. «Alles Gute! Und nun sind Sie Chef in Neustadt, Herr Korn, und brauchen zwölf Stunden, um an einen Tatort auf der Insel zu kommen?

«Ja», sagte er. «Da ist nichts zu machen. Zum Glück ist das erst der zweite Mordfall drüben, solange ich hier Dienst mache – und damals war es vor einsetzender Flut. Da waren wir in drei Stunden da!»

«Praktisch», spöttelte ich. «Wenn sich das in Mörderkreisen herumspricht, werden zukünftige Killer ihr Handwerk auf diese Insel verlegen und die Gezeiten einkalkulieren. – Aber was soll jetzt werden? Der gute Maybom kann ja wohl keine Ermittlung führen.»

«Nein», sagte Korn. «Aber da Sie nun mal dort sind...» Er ließ den Rest offen.

«Ich will mir Mühe geben, mein Lieber», sagte ich und lachte, «hoffentlich enttäusche ich Sie nicht allzusehr!»

«Aber Herr Oberkommissar!» Er sagte es so, daß es richtig ehrlich klang und mir wohltat. Soviel Vertrauen macht selbst selbstkritische Menschen eitel.

«Ich liefere Ihnen also den Herrn Messerstecher gefesselt und geknebelt frei Bord», sagte ich. «Bis heute abend, so gegen elf Uhr, nicht wahr?»

«Ja – gegen elf, halb zwölf», bestätigte er. «Schönen Dank und viel Glück!»

«Sehr freundlich!» sagte ich und legte auf. Da hatte ich also den toten Brocksiepen auch offiziell am Halse. Sehr romantische Situation.

«Prost, Frau Drojahn!»

Drojahn selig, der uns in vielen Variationen von den Wänden, vom Vertiko und vom Schreibsekretär aus zusah, bekam keinen guten Eindruck von der Arbeit der Kriminalpolizei.

«Rufen Sie einen Arzt an – und zwar einen möglichst guten, bitte, Frau Drojahn», sagte ich, «und wenn Sie ihn am Apparat haben, geben Sie ihn mir. Außerdem brauchen wir einen Fotografen. Davon gibt's ja 'ne Menge auf der Insel. Aber wer ist zuverlässig und verschwiegen genug, einen Toten zu fotografieren?»

«Als Arzt kommt nur Doktor Knopf in Frage», sagte Frau Drojahn und wählte bereits. Doktor Knopf hatte eine Raucherstimme und hörbares Asthma. Als ich ihm dargelegt hatte, was zu tun sei, reagierte er zwar nicht besonders fröhlich, aber doch prompt. «Ich bin in fünf Minuten dort!» krächzte er und hängte ein. Mit dem Fotografen war es schwieriger. Der erste, den die Wirtin an die Strippe holte, lehnte rundweg ab. Er sei auf Vergnügungsfotos eingestellt, sagte er, als ich ihm eröffnete, er solle Blitzlichtaufnahmen für die Kriminalpolizei machen. Der zweite war unterwegs, um eine Hochzeitsgesellschaft zu fotografieren. Der dritte zierte sich erst ein bißchen, dann aber siegte seine Neugier und er geruhte zuzusagen.

Ich hatte getan, was als erstes getan werden mußte, und machte mich nun auf den Weg in die Arena – pardon, Veranda. Frau Drojahn bat ich, das Personal, das ja nur noch aus einem

Mädchen namens Selma bestand, zusammenzurufen und ebenfalls in die Veranda zu kommen.

Es war ein Glück, daß Uschi mit den zwei Eisenreich-Kindern noch nicht zurück war. Sie hatten vom Kurhaus aus ins Seewasseraquarium gehen wollen und waren dort wohl vom neuen Regen festgehalten worden.

Denn es ist in solchen Lagen immer schrecklich, Kinder dabei zu haben. Die Erwachsenen werden meist böse oder hysterisch – und die Kinder fangen an zu brüllen, nicht weil sie etwa kapieren, was passiert ist, sondern weil sie die Großen plötzlich so verändert sehen und darüber erschrecken.

Maybom saß an der Tür, die von der Veranda zur Straße führte. Er hatte immerhin seine Dienstmütze abgesetzt. Als ich eintrat, erhob er sich.

Ich bat die Tanten Brocksiepen für einen Moment in den Flur.

«Was ist denn los, um Himmels willen?» fragte Frau Wulze, hochrot vor Aufregung.

«Eine Minute Geduld bitte», sagte ich. Agathe und Hilda folgten geschlossen. Wir gingen in Frau Drojahns Arbeitszimmer. Ich bat die zwei, Platz zu nehmen. Ehe ich noch zu der entscheidenden Mitteilung den Mund aufmachen konnte, sagte die jüngere, Hilda, mit vor Angst tonloser Stimme: «Ist was mit Harald?»

Ich nickte und redete drauflos. Ich redete alles das Zeug, das man in solchen Fällen redet: «Fassen Sie sich!» und «... das unberechenbare Schicksal ...» und so weiter. Es gibt keine wirklich tröstlichen Worte für so was, ich weiß jedenfalls keine.

Agathe saß ganz steif auf dem Rand des Plüschsessels. Ich hatte den Eindruck, daß sie langsam immer größer wurde. Hilda sah mich mit offenem Mund an, sie zerknautschte ein Taschentuch in ihren kleinen, dicken Händen. Der quelläugige Rehpinscher auf Agathes Schoß fiepste unruhig.

Hilda sagte fassungslos, als ich eine Pause machte: «... und wie ist das geschehen?» Sie hatte offenbar noch nicht recht erfaßt, was überhaupt geschehen war. Ich konnte mir und den beiden nicht helfen, ich mußte es sagen: «Ihr Neffe ist ermordet worden!»

Agathe saß immer noch wie versteinert. Aber Hilda erhob sich ganz langsam, sagte gurgelnd: «Ermor...?» und fiel, wie von einem Schlag getroffen, in sich zusammen. Ich konnte sie nicht auffangen, so schnell ging das.

In diesem Moment öffnete sich die Tür und ein kleiner, molliger Mann trat herein. Das heißt, er trat nicht, er hüpfte herein, denn er sah Hilda noch umfallen. «Wasser!» sagte er mit seiner Krähenstimme und kauerte schon neben der Liegenden.

Ich rannte nach Wasser. Auf dem Flur stieß ich mit einem anderen Fremden zusammen, der heftig nach irgendeinem französischen Parfum roch und: «Huch!» rief, als ich ihn anrempelte. Das war der Fotograf. Er trug ein rosa Hemd und hautenge weiße Hosen. Auch das noch. Fast jede Gattung Mensch war nun vertreten. Das konnte reizend werden.

Die große Wanduhr in der Pension DÜNENFRIEDEN begann dröhnend zwölf zu schlagen, als Frau oder richtiger Fräulein Hilda Brocksiepen in Ohnmacht fiel, weil ich ihr den grausigen Tod ihres Neffen mitteilte. Die Uhr schlug noch, als ich mit dem Wasser zurückkam. Der rosabehemdete Fotograf fragte, ob das die Tote sei, die er fotografieren solle.

«Nein!» sagte ich, gab dem knienden dicken Doktor Knopf das Wasser und wünschte mir sechs Hände, denn Frau Drojahn quirlte ins Zimmer, vom heulenden Küchenmädchen gefolgt, der Hund Bello bellte sie an, davon kam die Ohnmächtige zu sich – und zu allem Überfluß polterte Maybom herein und verkündete, daß in der Veranda ein Mann namens Hempel sei, der mich zu sprechen wünsche – und außerdem wolle Frau Wulze nicht mehr warten, sie drohe zu schreien. Dazu schlug die Uhr, als müßte sie das Durcheinander musikalisch untermalen.

«Kennen Sie den Hempel?» fragte ich Maybom.

«Von der Zeitung ist der!» sagte Maybom ehrfurchtsvoll.

«Haben Sie gequatscht?» fuhr ich den Fotografen an. «Zeitung! Das fehlt mir gerade!»

«Aber nicht doch, mitnichten, Herr Kriminalrat», flötete der Rosane.

«Hören Sie auf», sagte ich, «gehen Sie nach oben. Warten Sie vor dem Zimmer sieben. Fassen Sie nichts an, gucken Sie in den Spiegel, der da hängt, bis ich komme. Klar?»

Ich fand Doktor Eisenreich und seine Frau sehr still, die Dame Wulze sehr laut in der Veranda. Es gelang mir trotz aller Versuche Frau Wulzes, Näheres zu erfahren, die drei mit einer allgemeinen Erklärung abzuspeisen. Ich sagte «Unglücksfall», sprach von «notwendigen formellen Vernehmungen», bat um Verständnis für einige unumgängliche Maßnahmen und erklärte, daß ich und warum ich mit der Durchführung dieser Dinge betraut worden wäre – und erreichte schließlich, daß sie alle drei widerspruchslos in ihre Zimmer gingen, wo ich sie zu bleiben ermahnte, bis sie gerufen würden.

Uschi trat mit den Kindern ein. Ich erklärte ihr ebenfalls so kurz wie möglich die Lage und schickte sie, die mich erstaunt und, zu meinem stillen Kummer, befremdet ansah, mit Jojo und Kiki spielen.

Doktor Knopf war indessen mit Fräulein Brocksiepens Ohnmacht fertig geworden. Ich verfrachtete die Tanten des Toten trotz ihrer Proteste – sie wollten partout den Neffen sehen – in ihre Zimmer und Frau Drojahn mit dem immer noch heulenden Mädchen Selma wieder in die Küche. Dann ging ich an des sympathischen Arztes Seite nach oben.

Maybom erhielt Auftrag, den Zeitungsfritzen, der sich irgendwo im Haus aufhielt, ausfindig zu machen.

Er fand ihn im Baderaum neben Brocksiepens Zimmer, das Ohr an der Wand – allerdings an der falschen – und brachte ihn zu mir. Es war ein kleiner, dünner grauer Mann in den späten Fünfzigern, der fuchsig wirkte und seine pfiffige Verschlagenheit hinter einer jovial dreisten Albernheit zu verstekken suchte, wobei ihm sein komisches Gesicht gute Dienste leistete. Nase und Unterlippe hingen traurig herab, sein graues Haupthaar gipfelte in die Stirn und stand am Hinterkopf wie ein Wiedehopf-Federbusch aufrecht. Aber die wäßrigen schmalen Augen spielten nicht mit. Sie verrieten immerzu, bei jedem Blick, daß ihr Besitzer nicht der Narr war, den er herauskehrte.

«Schön, Herr Hempel», sagte ich, «Sie haben's gerochen. Wie sich das für gute Journalisten gehört. Wann erscheint Ihre Zeitung?»

«Morgen vormittag!» sagte Hempel. «Wir sind eine Nachmittagszeitung, hähähä!»

«Redaktionsschluß?» Auf die Art Albernheit hatte ich keinen Appetit.

«Mitternacht, bitte sehr!»

«Gut. Und für welchen Pressedienst arbeiten Sie außerdem?»

«Für keinen – ich habe Exklusivvertrag!»

«Gratuliere! – Sie kriegen von mir heute abend um elf alles erzählt, was ich bis dahin weiß. Das kann viel sein, das kann wenig sein – aber vorher keine Silbe. Und wenn Sie hier herumstehen, Leute aushorchen – stören, dann kriegen Sie gar nix. Einverstanden?»

Er schnüffelte und sah mich schief an. «Was soll ich sonst tun? Sie sind das Gesetz...»

«Gehen Sie los!» sagte ich, wartete, bis er die Treppe runterwackelte, und schloß dann für den Fotografen, den Arzt und mich Brocksiepens Tür auf. Maybom postierte ich draußen mit der Anweisung, darauf zu achten, daß keiner sein Zimmer und schon gar keiner das Haus verließe.

Als erstes öffnete ich erneut das Fenster. Dann sagte ich dem blaß gewordenen Fotografen, von welchen Seiten er Brocksiepen aufzunehmen habe und trieb ihn ein wenig an. Er arbeitete gut und schnell und war zum Glück vor lauter Ekel und Angst so schweigsam geworden, daß er erträglich war.

Doktor Knopf und ich standen am Fenster, sahen in den Regen hinaus und hinab auf die spärlich bewachsenen Gärten jenseits der Straße, rauchten und warteten, bis der Mann im rosa Hemd seine acht Blitzlichtaufnahmen gemacht hatte.

«Ich hätte Sie nicht bemüht, Herr Doktor Knopf», sagte ich und stolperte beinahe mit der Zunge dabei, weil es so komisch klang, «aber es gehört nun mal dazu, daß der Tod fachmännisch festgestellt und begutachtet und beglaubigt wird.»

«Natürlich», gab er zurück und fuhr nach einer Pause, die er mit einem wundervollen Husten füllte, fort: «Einen besonders hübschen Beruf haben Sie aber auch nicht, wie?»

«Nein», gestand ich, «manchmal wünschte ich, ich wäre was anderes geworden. Buchhändler oder Gastwirt vielleicht. Und Sie?»

«Das wechselt», sagte er. «Wenn ich alten Damen die offenen Beine verbinden muß, geht's mir wie Ihnen – wenn aber junge Mädchen es auf den Bronchien haben, bin ich ganz zufrieden.»

Wir lachten. Das empörte den Fotografen, der gerade den toten Harald von der Seite knipste. Er machte «ts-ts-ts» vor Empörung. Doktor Knopf zwinkerte mir amüsiert zu und zündete sich eine neue Zigarette an.

Endlich war der Fotokünstler fertig. Ich komplimentierte ihn hinaus, nicht ohne noch mal auf seine Pflicht, den Schnabel zu halten und die Aufnahmen pünktlich abzuliefern, hingewiesen zu haben.

Der junge Mann wurde gleich wieder kiebig, als er Brocksiepens Zimmertür hinter sich hatte. «Ich werde abliefern, sobald ich fertig bin», sagte er, «aber ich muß ja nun erst mal meine Kundschaft zufriedenstellen. Ich habe nämlich zum Glück noch andere und meist sehr viel angenehmere Aufträge!»

«Brechen Sie sich bloß keine Verzierung ab», entgegnete ich, «der Tote da drin hätte sich bestimmt auch lieber lebendig fotografieren lassen . . .»

«Wie Sie da so drüber reden!» entrüstete sich der Zartbesaitete.

«Das macht die Gewohnheit», sagte ich. «Wenn Sie erst mal täglich drei bis fünf Leichen knipsen, reden Sie auch davon wie ein Tischler vom Holz.»

«Ich bedanke mich bestens», jetzt hatte er seine Töntour wieder, schulterte das Stativ und hängte sich mit neckischem Schwung die Fototasche um. Er blickte schelmisch über die Schulter, als er zur Treppe tänzelte. «Da weiß ich mir was Besseres.»

«Kann ich mir denken», sagte ich. «Fallen Sie bloß nicht drüber!»

«Wo drüber?» Er schaltete ein bißchen langsam.

«Über das Bessere!» lachte ich und ging zurück zum toten Brocksiepen, dem Doktor Knopf gerade das linke Augenlid hochschob.

«Irgendwas stimmt nicht!» sagte er mit seiner Sandpapierstimme. «Kann es sein, daß der junge Mann Opiate liebte?»

«Kann sein –» sagte ich nachdenklich, «er war so reich, daß er sich schon vor Langeweile so ein Hobby angeschafft haben könnte. Aber dann müßten wir irgendwelche Spuren davon im Zimmer finden.»

«Ich kann mich natürlich irren», meinte Doktor Knopf. «Was Genaueres könnte ich Ihnen sowieso erst nach der Obduktion sagen.»

«Ja – könnten Sie denn hier, ich meine auf der Insel, eine vornehmen?»

«Sicher. Lassen Sie die Leiche zu mir schaffen. Ich habe alles dafür in meiner Praxis!»

«Gut! – Aber die Todesursache?»

«... ist wohl eindeutig klar!» beendete er meinen Satz. «Nur die Pupillen...!» Er zog noch einmal Brocksiepens Lid nach oben, schüttelte den Kopf und kratzte sich am Kinn.

«Was glauben Sie, Doktor, wann es passiert ist?» wollte ich wissen.

«Vor mindestens neun – vor höchstens dreizehn Stunden.»

Ich sah auf die Uhr, es ging auf Viertel vor eins. Harald Brocksiepens Leben mußte also ungefähr zwischen Viertel vor zwölf gestern nacht und Viertel vor vier heute früh ausgelöscht worden sein. Ich wußte im Hause nur zwei, die es mit Sicherheit nicht ausgelöscht hatten – das war ich selber und Uschi, für die ich ein unerschütterliches – wenn auch nur im Notfalle anwendbares – Alibi liefern konnte. Vorausgesetzt, daß überhaupt ein Bewohner oder Gast der Pension Dünenfrieden in Betracht kam.

«Halten Sie Selbstmord für möglich?» fragte ich den Arzt, der Haralds Pyjamajacke aufgeknöpft hatte und mit einem spitzen Gegenstand auf der rechten Brustseite des Toten Linien malte.

«Ausgeschlossen!» sagte er. «Das halte ich für völlig ausgeschlossen!»

Ich erzählte, daß Haralds Vater sich mit einem ähnlichen Messer selbst entleibt hatte. Die Duplizität der Todesart war doch seltsam. Entweder war's ein irrsinniger Zufall oder der Mörder – die Mörderin? – hatte mit Vorbedacht und in Kenntnis der Familienereignisse im Hause Brocksiepen diese Methode gewählt, um Verwirrung zu stiften oder was weiß ich...

«Ich glaub es auch nicht», sagte ich. «Der Junge war zu eitel. Er hätte bestimmt einen melodramatischen Abschied vorgezogen, wenn er überhaupt jemals auf den Gedanken gekommen sein sollte, sich selber aus dem Verkehr zu ziehen.»

Ich mochte nicht mehr zusehen, was Doktor Knopf mit Harald noch anstellte. Deshalb stellte ich mich wieder ans Fenster, den Rücken zum Zimmer. «Lassen Sie den Messergriff möglichst unberührt», sagte ich nach hinten. «Heute abend kommen meine Kollegen aus Neustadt. Die legen keinen Wert auf Ihre Fingerabdrücke, Herr Doktor!»

Der Arzt knurrte irgendwas. Hoffentlich hatte ich ihn nicht gekränkt. Wir schwiegen eine ganze Weile. Ich hörte ihn hantieren und rascheln und klappern. Es regnete jetzt gleichmäßig in langen, dichten Schnüren. Irgendwo in der Nachbarschaft sang ein Mädchen ein Küchenlied, von Abwaschgeräuschen begleitet. Ganz in der Ferne rauschte die See.

So schnell es die schmale, sandige Straße erlaubte, fuhr ich zum Leuchtturm. Es wäre nicht nur vorschriftsmäßig, sondern auch richtiger gewesen, zu zweit zu fahren – und wenn ich geahnt hätte, was mir bevorstand, dann würde ich auch darauf bestanden haben, daß mich entweder Maybom selbst oder sein einziger Wachtmeister begleitete. Es war kurz nach zwei – und ungefähr neun Stunden Zeit bis zum Eintreffen der Mordkommission. Ich hatte so gut wie nichts erreicht bisher. Die gute alte Taktik, alle Verdächtigen einzeln in ihren Zimmern sitzen und schmoren zu lassen, mußte erst mal wirksam werden, ehe ich zu vernehmen begann. Frau Drojahn hatte mir bestätigt, daß das Messer in Haralds Brust aus ihrer Küche stammte – eins von den Messern, die sie besaß, fehlte.

Ich hatte das Mittagessen unter Maybom Aufsicht einzeln auf die Zimmer servieren lassen. Das Ehepaar Eisenreich hatte ich vorher getrennt, das heißt, ich hatte auch das Maybom machen lassen. Der Literaturdoktor saß jetzt im Lesezimmer für sich, und die holde Gattin befand sich ebenso allein. Nur Uschi blieb bei den Kindern, die alle Maßnahmen sehr spannend und lustig fanden, obschon und weil sie nicht wußten, warum sie getroffen wurden. Sie waren auch die einzigen, die richtig aßen.

Alle anderen waren verstört, verschreckt und reagierten in verschiedenen Graden sauer. Alle zehn Minuten kam Maybom – der allerdings auch tüchtig aß – zu mir und richtete mir von einem oder dem anderen der Gäste aus, daß man mich dringendst zu sprechen wünsche. Aber ich ließ allen absagen – was mir (außer bei Uschi) gar nicht schwerfiel.

Maybom hatte alle Hände voll zu tun und dauernd treppauf, treppab zu laufen. Er schien das jedoch zu mögen. Ich mußte ihn dämpfen, damit er aus der Rolle eines Aufsehers nicht die eines Zuchthauswärters machte.

Harald Brocksiepen war, auf einer Tischplatte als Tragbahre gut zugedeckt, im Kombiwagen Doktor Knopfs in dessen Praxis geschafft worden. Und ich wollte also nur Gesine holen.

Selma, das ununterbrochen heulende Küchenmädchen, hatte stockend berichtet, daß Gesine – ganz schrecklich blaß, mit richtig beängstigenden Augen – in die Küche im Souterrain gekommen war, gestern abend so gegen halb elf oder elf – Selma hatte dort noch gesessen und einen «Schwälbchen»-Roman gelesen. Und sie habe nur «Leb wohl» gesagt und Selma die Hand – «Eiskalt!» – gegeben. Dann habe sie sich an der Küchenschublade zu schaffen gemacht, in der die Büchsenöffner und Korkenzieher – ja, und auch die drei großen Messer immer lagen – und darauf sei sie nach oben gegangen «. . . ohne ein Wort . . .»

Selma war eine Anstrengung. Sie heulte, wie ich noch nie einen erwachsenen Menschen habe heulen sehen: Ströme von Tränen, offener Mund, Huäh-Laute in vielen Varianten, laufende Nase, Geschnüffel, Handrücken quer übers Gesicht und neue Ströme von Tränen.

Ganz gleich, wie weit Selmas Bericht vom «Schwälbchen»-Roman (Titel: *Leid und Glück der Marita Bogenstein*) beeinflußt oder gar inspiriert war – ich mußte Gesine holen und sprechen. Der Hof ihrer Eltern lag vierzehn Kilometer vom Ort entfernt ganz einsam in den Dünen. Bis zum Leuchtturm waren es neun Kilometer. Bis dahin war die Straße noch einigermaßen. Nicht gerade 1. Ordnung, aber so eben befahrbar.

Ich stoppte den klapprigen Polizei-VW – eines der vier Autos, die auf der Insel fahren durften – am Hause des Leuchtturmwärters, einem zweistöckigen Backsteinbau, der nach preußischer

Dienstwohnung aussah und in die weite Dünenlandschaft paßte wie ein Hauptfeldwebel in ein Kammerkonzert. Maybom hatte mir mit dem Autoschlüssel den Rat gegeben – gehorsamst, natürlich –, ich solle mir am Leuchtturm den Weg zeigen lassen. Denn es führten von hier aus vier Wege – mehr Wagenspuren als Wege – zum Ostende der Insel, und zwei davon, sagte Maybom, endeten im Sand, wo es keine Wendemöglichkeit gab.

Der Leuchtturmwärter kam vor die Tür seines unpassenden Hauses, war ein wenig verwirrt, als er mich, den Fremden, aus dem Polizeiwagen steigen sah, gab mir aber dann Auskunft, wie ich weiter zu fahren hätte. Der Weg wurde jetzt sehr schlecht und schmal, und ich war über die Sparsamkeit der Behörden froh, die ihren Landpolizisten keine Cadillacs zur Verfügung stellten. Mit jedem fünf Zentimeter breiteren Auto wäre ich hier stecken geblieben.

Gut durchgeschüttelt und naßgeschwitzt erreichte ich endlich den Hof. Er tauchte plötzlich hinter einer Düne auf. Klotzig und im grauen Licht düster wirkend, lagen die zwei langen, geduckten Gebäude auf einer grünen, braungestreiften Wiese. Ich mußte aussteigen, ein Viehgatter öffnen, hindurchfahren, wieder aussteigen und das Gatter hinter dem Wagen schließen. Dann waren es noch dreihundert Meter. Je näher ich kam, desto dunkler und schmutziger sahen die Mauern aus. Das Strohdach auf dem Haupthaus war bemoost, Pfützen bedeckten den Hofplatz, allerlei Gerümpel lag vor der Scheune, rostige Fahrzeugteile, Geräte, alte Blechfässer und Holz in Haufen, das wahrscheinlich am Strand gesammelt worden war. Ein gelber Hund umkreiste mich mit eingezogenem Schwanz, ohne einen Laut von sich zu geben. Aus dem Stall klang das Husten einer Kuh.

Ich rief. Nichts rührte sich. «Hallo!» rief ich noch mal. Eine Tür fiel ins Schloß. Aus dem Dunkel der Tenne, die an den Wohntrakt anschloß, kam eine kleine, alte Frau in blauem Kattunkleid mit einem grauen Kopftuch. Sie war krumm von lebenslanger schwerer Arbeit. Der Eimer mit Futter, den sie trug, hing nur Zentimeter über dem Boden. Sie hielt sich im Gleichgewicht, indem sie den linken Arm waagrecht ausstreckte. An der graubraunen Hand fehlten Ring- und kleiner Finger. Die Stümpfe waren weiß, als ob die Knochen freilägen.

«Guten Tag!» sagte ich.

Sie stellte den Eimer ab und sah mich stumm an.

«Ich möchte bitte Fräulein Gesine sprechen!» fuhr ich fort.

Sie wies mit einer Kopfbewegung nach hinten, entschloß sich aber dann, mir den Weg zu zeigen, wandte sich um und humpelte, ohne ein Wort zu sagen, vor mir her. Sie guckte nur einmal in der dämmrigen Tenne über die Schulter, ob ich auch nachkam. Ich konnte nicht viel erkennen in der Tenne – aber was ich sah, war ziemlich trostlos. Ein verrotteter Einspänner lag da halb auf der Seite, in einem löcherigen Strandkorb brütete ein Huhn, morsches Tauwerk, schimmliges Leder baumelte an der Wand, ein zerfallenes Boot lag kieloben an der Seite – und über allem hing der Geruch von Moder, gärenden Rübenschnitzeln und fauligen Kartoffeln. Wenn ich von dieser Stätte der Verwahrlosung direkt in die Wohnküche gekommen wäre, würde ich bestimmt sprachlos gewesen sein. So aber folgte ich der krummen, schweigenden Alten durch die Futterküche, die noch wüst aussah, durch eine Art Waschküche, in der schon – von zwei zerbrochenen Fensterscheiben abgesehen – so etwas wie Ordnungsbestrebungen erkennbar waren, über einen Flur mit blankgescheuerten roten Fliesen und weiß verputzten Wänden in die Wohnküche, die nicht nur sauber, sondern sogar gemütlich war. Obschon die vier kleinen, mit Geranien zugestellten Fenster wenig Tageslicht hereinließen, wirkte der große, warme Raum nicht dunkel. Derbe schwarze Holzstühle standen um einen riesigen, schweren Tisch auf weißen Dielen. Die Wand hinter dem Herd war weiß-blau gekachelt, die anderen Wände waren weiß gestrichen. Hellgelbe Vorhänge an den Fenstern zauberten sogar so was wie Sonne, obwohl es draußen wieder in Strömen goß. An der Schmalseite des Tisches saß in einem Rollstuhl ein unglaublich verwittert aussehender alter Mann. Neben ihm, mit dem Rücken zu mir, saß Gesine. Sie löffelte aus einer Steinguttasse Kaffee in den Mund des Mannes. Er bewegte schlürfend und schmatzend die Lippen. Sonst bewegten sich nur noch seine Augen. Alles andere an ihm schien aus dunklem, knorrigem Holz zu sein – unbeweglich, voller Falten wie die tiefgekerbte Rinde eines Baumes.

Die Frau, die mich hergeführt hatte, sagte ein paar Worte auf

Platt, die ich nicht verstand, Gesine drehte sich um, sah mich, war überrascht, aber nicht eigentlich erschrocken, setzte die Tasse ab und stand auf.

«Guten Tag», sagte ich. Ich war etwas verwirrt von den Eindrücken, die mich hier empfingen.

«Herr Klipp? Was machen Sie denn hier draußen bei uns?» fragte das Mädchen.

«Ich bin Ihretwegen gekommen», sagte ich. «Ich muß Sie sprechen.»

Der gelähmte Mann gab einen schnalzend-gurgelnden Laut von sich. Gesine wandte sich um und tätschelte ihm die Schulter. «Mein Vater ist krank!» sagte sie dann zu mir. Das klang trotzig und bitter. Ihr junger Mund bekam einen abweisenden Ausdruck. Sie tat mir in diesem Augenblick sehr leid, obwohl ich gekommen war, um sie wegen eines Mordes zu verhaften.

«Bitte nehmen Sie Platz», fuhr sie fort und wies auf die Stühle.

«Ich möchte Sie gern allein sprechen», sagte ich. «Können wir nicht woanders . . .?»

Die alte Frau setzte geräuschvoll den Topf auf die Herdplatte, in dem sie irgendwas gerührt hatte, sagte – abermals auf Platt und für mich unverständlich – ein paar Worte zu Gesine und verließ die Wohnküche. Draußen rief sie langgezogen und gellend einen Namen, den ich ebenfalls nicht verstehen konnte; das gedehnte ‹e›, das darin vorkam, sang sie fast.

«Was ist denn geschehen?» fragte Gesine. «Schickt Sie Frau Drojahn? Will sie, daß ich wieder hinkomme? Sollen Sie kontrollieren, ob ich wirklich krank bin?» Ihr blasses Gesicht rötete sich «Nein –» sagte sie, «ich bin nicht krank. Aber ich kann da nicht mehr arbeiten!» Die Tasse in ihrer Hand zitterte. «Ich will nicht, verstehen Sie! Ich will nicht!»

«Warum?»

«Das ist meine Sache!»

Der Gelähmte ließ uns nicht aus den Augen. Auf dem Flur wurden Schritte laut. Die Tür ging auf. Ein Bursche kam herein, bestimmt zwei Meter groß, breitschultrig, weißblond wie das Mädchen, mit den gleichen hellen Augen und einem ebenso verschlossenen Gesicht. Er kam drei Schritte in den Raum. Seine mächtigen Gummistiefel machten breite Schmutzflecke auf dem weißgescheuerten Fußboden. Hinter ihm schloß die alte Frau die Tür und ging um ihn herum zu ihrer Herdecke. Sie reichte ihm kaum bis zur Brust.

Der Bursche brummte einen Gruß und blieb stehen. Er steckte die Daumen seiner Hände in den Gürtel. Ich hatte noch nie so große Hände gesehen.

«Guten Tag!» sagte ich.

Er nickte, schob die Unterlippe nach vorn und sah Gesine und mich abwechselnd an.

Die Alte hantierte am Herd, ohne mich aus den Augen zu lassen. Der Gelähmte gluckste in unregelmäßigen Abständen vor sich hin. Gesine schwieg. Ich wartete. Gegen die Scheiben prasselte der Regen. Eine Kuh brüllte.

Wahrscheinlich dauerte es nur eine Minute, aber mir kam es endlos vor, bis der Zwei-Meter-Bursche zu reden anfing. «Was wollen Sie von meiner Schwester?» fragte er. Es fiel ihm schwer, hochdeutsch zu sprechen. Er machte vor jedem Wort eine Pause, als ob er es erst übersetzen müsse.

«Ich habe ein paar Fragen», sagte ich, «die ich ihr unter vier Augen stellen möchte.»

«Wir haben hier keine Geheimnisse», sagte er. «Fragen Sie!»

«Also gut!» Ich überlegte. Dann fragte ich den Burschen: «Wie lange fährt man mit dem Rad vom Ort bis hier heraus?»

Er zögerte und sah seine Schwester an. «Eine knappe Stunde – bei gutem Wind weniger», sagte er.

«Und wann war Ihre Schwester heute nacht zu Hause?» fragte ich schnell nach.

«Wann sie ...?» Er kniff die Augen zusammen und fuhrwerkte mit der Zungenspitze in seiner Backe herum, daß es aussah, als hätte er einen dicken Bonbon im Mund.

«Ja, um welche Zeit ist Gesine hereingekommen?» wiederholte ich.

«Was soll das bedeuten?» rief das Mädchen. «Was geht Sie das an?» Sie hatte plötzlich rote Flecken im Gesicht.

«Es ist zwei gewesen ungefähr!» sagte der Bruder.

«Reemt!» Gesine schrie fast. «Er irrt sich», sagte sie hastig zu mir, und dann wieder vorwurfsvoll zu ihm: «Red doch keinen Unsinn, Reemt!» Und nun trotzig: «Was wollen Sie überhaupt von mir? Das ist ja wie – wie – wie ein Verhör!»

«Es ist auch eins», sagte ich.

«Er ist mit dem Polizeiauto hier!» sagte der Bruder. Die Steinguttasse fiel aus den Händen, zerbrach aber nicht, sondern kullerte klappernd unter den Tisch. Der Gelähmte kreischte los. Die alte Frau lief hinter ihn und legte ihm beide Hände ans Gesicht, als wollte sie ihm die Ohren zuhalten. Er schwieg, sah mich mit aufgerissenen Augen an und bewegte den Unterkiefer, als ob er nach Luft ränge.

«Ja», sagte ich leise. «Ich bin Kriminalbeamter, Gesine. Sie sind in einer schlechten Lage. Um elf haben Sie sich von Frau Drojahn verabschiedet. Kurz danach – sagte Selma – waren Sie unten in der Küche. Sie haben aus der Besteckschublade eines der drei großen Messer geholt und sind weggegangen. Um zwei waren Sie hier, zu Hause. Sie haben also etwa drei Stunden gebraucht, für eine Strecke, die man in einer Stunde fahren kann...» Ich machte eine Pause. Gesine stand unbewegt. Sie blickte mich an. Ihre Lippen waren so fest aufeinandergepreßt, daß sie weiß wie ihr Gesicht waren. Sie atmete immer schneller, je länger ich sprach.

Mit einem Seitenblick sah ich, daß ihr Bruder die riesigen Hände, die vorher schlaff am Gürtel gehangen hatten, zu Fäusten geballt in die Seiten stemmte.

Ich fuhr mit erhobener Stimme fort zu reden: «... und wenn Sie mir nicht glaubwürdig beweisen können, wo Sie zwischen elf und ein Uhr waren, Gesine, dann muß ich Sie jetzt verhaften.»

«Ver...?!» Mehr als diese eine Silbe sagte sie nicht.

Der Bruder kam langsam auf mich zu. «Verhaften?» fragte er. «Warum wollen Sie meine Schwester verhaften?»

Ich ließ drei Sekunden vergehen und sagte dann: «Einer der Gäste des Hauses ‹Dünenfrieden› – ein junger Mann namens Harald Brocksiepen – ist in der letzten Nacht ermordet worden. Eines der drei Messer aus der Küchenschublade wurde ihm ins Herz gestoßen. Zwischen zwölf und ein Uhr!»

Ich war zu sehr auf die Wirkung meiner Worte bedacht. Der Schlag, der mich seitlich traf, kam so unerwartet, daß er mich von den Füßen riß. Ich fiel hart gegen den Tisch, knallte abrutschend mit dem Hinterkopf gegen eine Stuhllehne und schlitterte noch drei Meter weit über den weißen Fußboden.

Zum Glück bin ich von seiten meines Vaters mit einem westfälischen Schädel ausgerüstet. So blieb ich bei Besinnung. Der nächste Schlag des jungen Riesen wäre vielleicht tödlich gewesen. Das hätte ihm zwar einige Dutzend Jahre Zuchthaus eingebracht, aber außer dem üblichen Nachruf «... in treuer Erfüllung seiner Pflicht...» wäre für mich und von mir wenig übriggeblieben. Er hatte so unheimlich große Hände!

So jedoch gelang es mir, Zuchthaus und Nachruf zu verhindern, indem ich den Burschen mit Wucht gegen die Kniescheibe trat, als er sich mit erhobener Faust über mich beugte. Es knackte, er schrie auf, fiel schräg nach vorn und plumpste neben mir polternd auf die Dielen.

Ich war über ihm, ehe er seine hundertzwanzig Kilo wieder in Bewegung gesetzt hatte und drosch ihm meine Handkante an den Hals. Als Zugabe – sicher ist sicher – rammte ich ihm das Knie in die Magengrube. Das würde genügen, dachte ich und erhob mich, denn ich habe eine ausgeprägte Abneigung gegen diese Art enger Berührungen mit meinen Mitmenschen. Der Gelähmte kreischte schneidend. Die alte Frau schrie immerzu: «Reemt, Reemt, Reemt!» Gesine hatte die Hand vor dem Mund und ächzte entsetzt.

Mir war ein bißchen schwindlig. Ich holte ein paarmal tief Luft und zog meine Jacke zurecht. Reemt stöhnte dumpf.

«Er wird sterben!» stieß das Mädchen aus.

«Sicher», sagte ich brutal, «wenn er achtzig ist oder neunzig. Heute nicht. In ein paar Stunden kann er wieder melken, falls er nicht lieber mähen will oder Schweine füttern. So. Und Sie ziehen sich jetzt schleunigst einen Mantel an und kommen mit, Gesine!»

Sie sah mich wütend an – aber mit einemmal kam ihr wieder zum Bewußtsein, warum ich hier war. «Ich bin es nicht gewesen, Herr Klipp!» rief sie und ihre Wut verwandelte sich in Angst.

«Erzählen Sie es mir unterwegs», sagte ich. «Hier haben wir keine rechte Ruhe.»

Die alte Frau kniete jetzt neben dem Liegenden und redete leise auf ihn ein. Ich bückte mich zu ihm, betastete das getroffene Knie, bewegte sein Bein sachte hin und her und stellte fest, daß nichts gebrochen war. Er hielt seine gewaltigen Hände vor den Magen und biß sich auf die Unterlippe. Ich war mir nicht klar, ob vor Scham oder vor Schmerzen.

Erst hinter dem Leuchtturm fing sie an zu reden. Sie saß in ihrem billigen blauen Mäntelchen neben mir und zitterte. Es war kalt, doch sie zitterte nicht vor Kälte. Ich hatte ihr schweigend im Flur des Bauernhauses in den Mantel geholfen, war schweigend neben ihr durch Waschküche, Futterküche und gammelige Tenne zum Auto gegangen, hatte sie hineingesetzt und war ohne ein Wort losgefahren. Es regnete immer noch. Die Rinnsale an den Stellen der Windschutzscheibe, die der Scheibenwischer nicht traf, schlängelten sich wie kleine Reptilien übers Glas abwärts. Unter dem Leuchtturm stand eine Gruppe Kurgäste, die mißmutig aus ihren Pellerinen- und Kapuzenmänteln guckten. Dann begann die bessere Straße. Aber ich fuhr langsam, weil ich fühlte, daß das Mädchen reden wollte. Und plötzlich begann sie:

«Ja – ich habe ihn umbringen wollen», sagte sie mit vor Haß rauher Stimme. «Er ist ein so gemeiner Lump, Herr Klipp, so gemein ...» Sie stockte. Ich sagte nichts und drosselte den Motor noch ein wenig, so daß wir nur knapp dreißig fuhren.

«Ich habe ihm geglaubt, als er gesagt hat, daß er mich liebt. Er kann –» sie verbesserte sich – «konnte so schön reden – und ich habe ihm alles geglaubt. Es war alles gut, bis vorigen Sonnabend. Am Nachmittag kam der Doktor Eisenreich an mit seiner Frau. Harald – Herr Brocksiepen – hat den ganzen Abend mit ihnen zusammengesessen. Er kam nicht in mein Zimmer – wie die Nächte vorher. Ich bin zu ihm gegangen – aber er war anders als sonst. Er hatte mich schon über. Er schlief ein, als ich noch da war. Am nächsten Tag hat er mich überhaupt nicht mehr angeschaut. Kein heimliches Streicheln mehr, kein schnell geflüstertes Wort auf dem Flur – oder so. Nichts. Gar nichts. Ich habe ihm einen Brief geschrieben und am Abend, als ich die Betten aufdeckte, in die Nachtanzugtasche gesteckt. Ich habe wachgelegen bis zwei Uhr und gehofft, daß ich mich vielleicht irre. Er kam nicht. Ich bin wieder zu ihm gegangen. Seine Tür war verschlossen. Ich bin fast verrückt geworden. Wenn er mir wenigstens erklärt hätte, was los war, ob ich mich falsch benommen hatte – aber so, kein Wort, kein Blick. Vor Verzweiflung bin ich zur Réunion gegangen gestern abend und habe einem Kellner drei Mark gegeben, er soll die Kapelle um eine Damenwahl bitten. Ich habe hinter einer Säule gesessen und gewartet. Ich habe gesehen, wie er mit der Frau Eisenreich getanzt hat – so, daß ich immerzu hätte schreien können vor Wut –, es war ganz furchtbar. Und dann kam die Damenwahl, und ich bin durch den Saal gelaufen und habe ihn aufgefordert. Er hat hochgeschaut, die Lippen verzogen und gesagt: ‹Ich tanze nicht mit Personal!› Und dann –»

Sie brach ab. Die Erinnerung an die schlimmste Demütigung ihres jungen Lebens verschlug ihr, da sie zum erstenmal davon berichtete, die Sprache.

Ich sah die Szene vor mir und sah sie mit hängenden Schultern aus dem Saal laufen und war in Versuchung, ihr tröstend über das Haar zu streichen. Doch ich tat es nicht. Gewiß hätte sie dann angefangen zu weinen. Sie sollte aber erzählen.

«Ich bin –» fuhr sie anfangs zögernd, dann immer aufgeregter fort – «wie betäubt aus dem Saal gegangen. Als ich an der Garderobe stand, um meinen Mantel zu holen, kam die ältere Frau Brocksiepen. Sie fragte, ob ich schon heim wollte und sagte, ich möchte ihr doch ein großes Messer auf ihr Zimmer legen, sie wollte sich noch ein Stück Sandkuchen abschneiden, den sie oben hatte. – Halb elf war ich in der Pension. Ich bin zu Frau Drojahn gegangen, die in ihrem Arbeitszimmer noch Licht hatte und hab mich krank gemeldet. Ich war krank, Herr Klipp, ich wollte sterben. Dann habe ich schnell meine Sachen gepackt, mein Rad hinten aus dem Schuppen geholt und alles draufgebunden. Da ist mir das Messer eingefallen für Frau Brocksiepen, und ich bin noch mal ins Haus und hinunter in die Küche. Dort saß Selma und las. Ich habe ihr Lebewohl gesagt und das Messer genommen. Und als ich oben vor ihrem Zimmer stand, habe ich plötzlich daran gedacht, daß Harald heute nacht wieder hier schlafen wird und ich habe daran gedacht, wie er mit der Frau Eisenreich jetzt so zärtlich tanzt – und vielleicht geht sie diese Nacht zu ihm. Und da habe ich mir vorgenommen, ihn zu töten, ehe ich selber sterbe. Denn ich hatte die Absicht, mir das Leben zu nehmen, zu Hause, mit den Schlaftabletten, die mein armer gelähmter Vater immer kriegt, damit er Ruhe hat...» Sie machte eine lange Pause.

Ich hatte schon Sorge, daß sie von Selbstmitleid überwältigt nicht weiterreden würde – aber dann sprach sie doch:

«...Ich habe mich also in die Besenkammer gesetzt, die unter der Treppe ist, neben Doktor Eisenreichs Zimmer. Das Messer hatte ich nicht zu Frau Brocksiepen hineingelegt. Sollte sie ihren Kuchen mit sonstwas schneiden! Alles war mir egal. Ich habe da mit dem Messer ganz lange auf einer Kiste gesessen, wo die Werkzeuge und Nägel und Schrauben drin sind. Hin und her habe ich überlegt, wie ich es machen will. Ich bin zu dem Entschluß gekommen, zu warten, bis er schläft. Es war dunkel in der Besenkammer, und ich habe auch gefroren. Aber ich war kein bißchen müde, sondern nur voll von Haß und verrückt von der Idee, Harald Brocksiepen umzubringen, der mich so gemein behandelt hatte.

Es muß kurz nach zwölf gewesen sein, denn die große Uhr unten im Flur schlug sehr lange, ich hatte die Schläge nicht mitgezählt, da kamen alle nach Hause. Eine Weile war noch Wasserrauschen und Türenklappen und allerlei Gelaufe auf dem Gang. Dann ist es still geworden, und ich habe noch etwas gewartet. Schließlich habe ich leise die Besenkammertür aufgemacht und habe gelauscht. Ich wollte schon losgehen – aber da kam es mir vor, als ob noch jemand über den Gang schlich. Ich hatte mit einemmal die Vorstellung, daß Harald vielleicht sein Betragen bereute und zu mir hinaufschlich, um mich um Verzeihung zu bitten. Und ich war schon drauf und dran, das Messer wegzutun und alles zu vergessen. Aber der Schritt, den ich zu hören geglaubt hatte, war nicht über meinem Versteck die Treppe hinaufgegangen. Da knarrt nämlich eine Stufe – das hätte ich gehört. Ich ging also in Strümpfen den Gang entlang zu Haralds Zimmer. Seine Tür war nicht verschlossen. Ich öffnete sie ganz vorsichtig und ging hinein. Von der Straßenlaterne her, die direkt vor dem Haus hängt, kam etwas Licht herein. Ich sah ihn auf dem Rücken im Bett liegen. Er schlief. Ich lehnte die Zimmertür nur an und ging leise auf ihn zu mit dem Messer in der Hand . . .»

Das Mädchen hielt inne und sah mich von der Seite an. Wir hatten nicht mehr weit zu fahren. Der Reitstall am Ostende des Ortes war schon zu sehen. Ich fuhr so langsam, wie es nur möglich war im zweiten Gang.

«Ja – und dann?» fragte ich, als sie keine Anstalten machte, weiterzusprechen.

«Ich stand schon vor ihm», sagte sie und griff nach meinem Arm, als ob sie sich festhalten wollte. «Ich stand schon vor ihm, bereit, zuzustechen», wiederholte sie und sprach jetzt so leise und schnell, daß ich den Wagen anhielt und den Motor sachte einfach absaufen ließ, weil ich sie sonst nicht verstanden hätte. «. . . da stöhnte jemand . . . stöhnte und flüsterte: ‹Nein, o Gott, nein!› – und ich erschrak so furchtbar, daß ich das Messer einfach fallen ließ und zur Tür rannte und hinaus – ich weiß nicht, ob ich geschrien habe –, aber die Tür habe ich zugeschlagen und bin erst den Gang entlang auf die Treppe zu, die nach oben in mein Zimmer führt – aber dann fiel mir ein, daß ich ja weg wollte, und ich habe kehrtgemacht und bin hinunter und nach draußen und auf mein Fahrrad und nach Hause – wie im Traum –»

Sie war am Ende. Eine kurze Weile lag ihre Hand noch auf meinem Arm. Als ich nichts sagte, ließ sie sie sinken. «Sie glauben es nicht, Herr Klipp?» fragte sie tonlos.

«Was für eine Stimme hat da geflüstert?» Ich sah Gesine an. Sie war blaß und hatte tiefe Schatten unter den Augen, die sie geschlossen hielt. Wieder fielen mir ihre außerordentlich langen, dunklen Wimpern auf. «War es ein Mann? Eine Frau? – Hat Brocksiepen selbst vielleicht –?»

«Nein, er nicht!» Sie schüttelte den Kopf, ohne die Augen zu öffnen. «Es kam vom Fenster her – neben dem Schrank –» Sie schlug die Hände vors Gesicht. «Ich weiß nicht –» sagte sie verzweifelt.

Ich grub die Zigarettenschachtel aus meiner Tasche und zündete mir eine an.

Gesine wandte sich plötzlich zu mir. Sie blickte zu mir herüber, faltete die Hände unterm Kinn und sagte: «Ich habe ihn nicht erstochen, Herr Klipp – bitte, bitte glauben Sie mir doch! Ich sage Ihnen ja, daß ich es tun wollte – aber ich habe es nicht getan, das schwör ich!»

Ich sah sie an und tat wieder etwas Unvorschriftsmäßiges, indem ich die Hand hob und ihr behutsam die seidige, weißblonde Haarsträhne zurückstrich, die ihr ins Gesicht gefallen war.

Maybom kam aus der Verandatür der Pension DÜNENFRIEDEN, als ich vor dem Haus hielt.

«Was Neues?» wollte ich wissen.

«Nein», schnarrte er. «Den Hund hab ich zweimal vors Haus führen müssen, aber das Viech pin– macht nichts, wenn seine Herrin nicht dabei ist.»

Ich verbiß mir ein Lachen. «Bringen Sie Fräulein Gesine hinauf in ihr Zimmer!» ordnete ich an. «Sie bleiben dort, bis ich Sie rufe, Gesine!» sagte ich laut zu dem Mädchen und fügte leise hinzu: «Halten Sie die Ohren steif!» Ein dankbares Lächeln huschte über ihr blasses Gesicht, dann ging sie vor Maybom ins Haus. Ich sah auf die Uhr. Vier. Noch sieben Stunden. Frau Drojahn saß in ihrem Arbeitszimmer.

«Hat sie gestanden?» fragte sie aufgeregt, als ich eintrat.

«Wer? Was?» gab ich zurück.

«Nun – Gesine!» sagte sie. «Sie haben sie doch verhaftet? Oder? Selma hat mir gesagt...»

«Selma ist eine Quatschnudel», sagte ich. «Sie sollte weniger ‹Schwälbchen›-Romane lesen und mir lieber einen Kaffee kochen – aber einen ganz feinen!»

«Sofort!» sagte Frau Drojahn. Sie war enttäuscht.

Ich stieg die Treppe hinauf, um mir in meinem Zimmer die Hände zu waschen und nun mal zehn Minuten allein zu sein, bis der Kaffee fertig war.

Maybom kam mir entgegen. Er platzte vor Neugier.

«Rufen Sie in Neustadt an», sagte ich. «Bitten Sie die Kollegen, sich die Führungszeugnisse der Eisenreichs, der Tanten Brocksiepen und der Dame aus Sachsen, Frau Wulze, zu besorgen – Vorstrafen usw. – Sie wissen schon! Reden Sie nichts, wenn ich bitten darf, über Gesine – weder am Telefon noch sonstwie ...»

«Ist sie unschuldig?» fragte er.

«Sie sollen nicht fragen, Herr Maybom –» ich fing an, ein bißchen nervös zu werden – «sondern das tun, was ich sage, klar?»

«Jawoll, Herr Oberkommissar!» rief er, Mittelfinger an der Hosennaht. Aber er hatte noch was auf der Pfanne. «Und das Kinderfrollein?» fragte er.

«Ach so –» ich hatte abermals Mühe, ein Schmunzeln zu unterdrücken. «Natürlich. Gut, Herr Maybom, daß Sie daran denken! Die Anschriften –»

«– nehm ich aus dem Gästebuch!» sagte er eifrig und strahlte über das Lob.

Ich saß in meinem Zimmer auf dem unbequemen einzigen Stuhl vor dem wackeligen kleinen Tisch und malte Dreiecke, Vierecke, Gesichter und Männchen auf einen Briefbogen mit der Aufschrift DÜNENFRIEDEN. Neun Männchen malte ich nebeneinander, acht davon kriegten ein Röcklein an. Ich schrieb Namen darunter, alle die Namen, deren Träger mit Harald Brocksiepen, dem großen Mädchenvernascher, in den letzten zwanzig Stunden in Berührung gekommen waren. Doktor Eisenreich, Sylvia Eisenreich, Agathe Brocksiepen, Hilda Brocksiepen, Frau Wulze, Frau Drojahn, Selma, Gesine, Uschi Marckhoff. Erst wollte ich noch zwei kleinere Männchen malen für die Kinder Jojo und Kiki – aber das ließ ich bleiben. Dann machte ich durch das Männchen, unter dem «Uschi» stand, einen dicken Strich – und, nach kurzem Zögern auch durch das, unter dem «Gesine» stand. Unter «Wulze», «Agathe» und «Hilda Brocksiepen» malte ich ein Fragezeichen. Um «Frau Drojahn» und «Selma» malte ich einen Kreis – zusätzlich aber versah ich «Selma» noch mit einem Fragezeichen – Unsinn, ich strich es wieder aus. Das Mädchen war so unscheinbar und außerdem häßlich gewachsen – unwahrscheinlich, daß Brocksiepen ...

Es klopfte. Die leibhaftige Selma brachte mir Kaffee.

«Selma», sagte ich, «Sie haben doch heute morgen die Zimmer gemacht, nicht wahr?»

«Ja», sagte sie und verzog schon wieder den Mund, gleich würde das blödsinnige Geheule losgehen.

«Ist Ihnen irgendwas aufgefallen?»

Sie schüttelte den Kopf.

«War in irgendeinem Zimmer – in irgendeinem Waschbekken Wäsche eingeweicht – ein Hemd oder ein Nachthemd oder eine Nachtanzugjacke?

«Nein», sagte sie.

«Hing in einem der Badezimmer was zum Trocknen?»

«Nur Ihr Schwimmzeug, Herr Klipp!» sagte sie.

«Gut, danke. Sie können gehen, Selma!» sagte ich.

Sie blieb stehen, schnüffelte und faßte Mut: «Muß Gesine ins Zuchthaus, Herr Klipp?» fragte sie mit weinerlicher Stimme.

«Machen Sie, daß Sie rauskommen, zum Donnerwetter!» schrie ich.

Sie erschrak fürchterlich und kippte richtiggehend zur Tür hinaus. Draußen hörte ich sie heulen. Ich mußte lachen, nahm meinen Kugelschreiber und machte einen dicken Strich durch das Männchen mit der Unterschrift «Selma».

Der Kaffee war prima.

Ich ging hinüber zu Uschi, die von der Dauerbeschäftigung mit den Kindern ziemlich mitgenommen aussah.

«Geht alle drei eine Stunde spazieren – oder auch zwei», sagte ich, «der Regen hat aufgehört. In der Konditorei am Kurpark gibt es herrliche Holländerschnitten und wundervolle Mohrenköpfe. Hier sind zehn Mark, bringt mir bitte für den Rest Zigaretten mit, ja!»

Uschi machte ein ernstes Gesicht, zog den zwei Kindern ihre Anoraks über und fragte: «Dürfen die beiden schon vorausgehen in die Veranda, Herr Kriminalkommissar? Ich muß noch meinen Regenmantel von oben holen.»

«Natürlich dürfen sie», sagte ich.

Jojo und Kiki verschwanden. Uschi kam auf mich zu, legte mir die Arme um den Hals und steckte ihre hübsche Nase in meinen Kragen. «Es ist schrecklich», murmelte sie.

Ich streichelte ihren Rücken. «Nicht so schrecklich, wie es scheint», sagte ich beruhigend. «Schau an, der Mann den es getroffen hat, war kein anständiger Kerl und ...»

«Hör auf, Leo!» unterbrach sie mich, hob den Kopf und sah

mich an. «Mich interessiert Brocksiepen – ob tot oder lebendig – nicht für 'n Pfifferling. Aber daß du so ein schmutziges Handwerk hast, finde ich schrecklich!»

Ich war ein bißchen gekränkt: «Hättest du mich lieber als Schlachtermeister oder als Leichenwäscher oder als Chirurgen –? Der Doktor, der Geschwüre aufschneidet, kann ebenso liebenswert oder hassenswert sein, finde ich, wie der Bonbonkoch oder der Oberbuchhalter – oder der Kriminalbeamte. Liebst du den Mann oder seinen Beruf? Ich finde meine Arbeit wirklich nicht immer schön –» ich löste mich aus Uschis Armen und ging zum Fenster, «aber sie ist genauso notwendig und nützlich wie die ‹schmutzige› Arbeit des Chirurgen – des Irrenwärters – des Richters, wenn du willst.»

Auf der Straße, auf die ich hinunterblickte, umkreisten ein paar Jungen das Polizeiauto respektvoll und neugierig. Sie erwarteten sicher – von entsprechenden Fernsehsendungen entsprechend falsch unterrichtet –, daß darin Telefon, eingebaute Kameras, automatische Maschinenpistolen und sonstige Errungenschaften des 20. Jahrhunderts zu sehen sein würden. Wenn sie sich näher herantrauten und hineinblickten, würden sie gräßlich enttäuscht sein, einen simplen VW zu finden, der sich lediglich durch das aufgemalte Wort POLIZEI und eine blaue Lampe auf dem Dach von anderen VW unterschied.

«Sei mir nicht böse», sagte Uschi und lehnte sich an meinen Rücken. «Ich bin ein Schaf. Verzeih mir. Es ist nur alles so anders, als ich mir heute morgen beim Aufwachen vorgestellt und erhofft habe ...»

«Sei kein Frosch, Uschi», sagte ich – ganz versöhnt –, drehte mich um, nahm sie in die Arme und küßte sie. «Morgen früh spätestens stehe ich dir wieder als Kurgast, Anbeter und Schinkenbrotgenosse zur Verfügung.»

Sie fuhr mir mit den gespreizten Fingern ihrer rechten Hand ins Haar und strubbelte mich.

«Au», rief ich. Sie hatte genau die Stelle erwischt, an der des großen Reemt große Faust gelandet war.

«Schwächling!» lachte sie.

«Scher dich zu deinen Pflichten!» lachte ich. «Und drück mir ein bißchen die Daumen in den nächsten Stunden!»

Sylvia Eisenreich saß am Fenster, als ich auf ihr «Bitte!» das Zimmer betrat. Sie hatte ein Buch auf dem Schoß, doch sie schien nicht gelesen zu haben, denn ihr Gesicht zeigte deutliche Tränenspuren. Von ihrer sonstigen attraktiven Aufmachung war überhaupt nicht mehr viel übriggeblieben; vor mir saß eine übernächtig aussehende Frau mit müden, ängstlichen Augen und grauer Haut.

«Entschuldigen Sie die Störung, Frau Eisenreich», sagte ich. «Es tut mir leid, daß Ihnen allen der Tag so verdorben ist durch diese schauderhafte Sache – Sie wissen inzwischen vermutlich schon näheres ...»

«Nein –» sagte sie unsicher. «Nur, daß irgendein Unglücksfall geschehen ist – wie Sie heute vormittag schon andeuteten. – Ich kann auch nicht verstehen, warum der Polizist meinen Mann in ein anderes Zimmer ...»

Ich ging nicht darauf ein. «Ich habe Ihr Einverständnis vorausgesetzt», sagte ich, «und habe Ihre Kinder mit Fräulein Uschi spazieren geschickt.»

«O ja. Danke!» sagte sie.

«Bevor ich jetzt ein paar Fragen stelle, Frau Eisenreich, muß ich Sie darauf aufmerksam machen, daß Sie nichts auszusagen brauchen, von dem Sie glauben, daß es Sie belasten könnte.»

Sie nickte. «Ich möchte erst wissen, was los ist», sagte sie, «und unter was für einem Verdacht ich stehe. Und ich möchte mit meinem Mann sprechen.»

Ich bot ihr eine Zigarette an, nahm mir auch eine und gab uns Feuer.

«Herr Brocksiepen ist tot», sagte ich, ohne Sylvia Eisenreich anzusehen. «Er ist ermordet worden – vergangene Nacht, etwa eine halbe oder eine dreiviertel Stunde nach der allgemeinen Rückkehr vom Kurhaus. Das ist los. Und der Verdacht, unter dem Sie stehen, Frau Eisenreich, ist schlicht und einfach Mordverdacht!»

Ich sah sie an. Sie reagierte gar nicht. Die Zigarette in ihrer Hand verqualmte ungeraucht.

«Wenn es Sie beruhigt», fuhr ich fort, «so sollen Sie wissen, daß Sie nicht allein unter diesem schrecklichen Verdacht stehen. Alle – oder richtiger: fast alle Gäste der Pension sind verdächtig. Auch Ihr Mann, auch Frau Wulze, auch die Damen Brocksiepen – fast alle, wie gesagt. Selbstverständlich dürfen Sie mit Ihrem Mann sprechen, aber können Sie sich nicht entschließen, mir vorher kurz zu schildern, was Sie vom Augenblick Ihrer Heimkehr an getan haben heute nacht?»

Jetzt zog sie heftig an ihrer Zigarette, so daß ich für einen Moment ihr Gesicht hinter dem Rauch nicht erkennen konnte.

«Es war nichts Besonderes», sagte sie dann mit rauher Stimme. «Wir sind hereingekommen. Ich habe wie immer nach den Kindern gesehen, habe sie zugedeckt und bei ihnen das Fenster geschlossen, weil es so regnete ... dann bin ich schlafen gegangen, nachdem ich mich gewaschen hatte ... sonst nichts ...»

«Lag Ihr Mann schon im Bett, als Sie sich hinlegten?»

«Ja – aber warum?»

«War er noch sehr böse?»

«Böse?»

«Nun – ich meine, er hatte doch wenig Anlaß, besonders glücklich und freundlich zu sein, nach den Geschehnissen im Kurhaus.»

«Ich verstehe nicht –» sagte sie und da platzte mir der Kragen. Es ging auf fünf. Ich hatte noch sechs Stunden. Bisher war nichts erreicht, außer daß sich der erste Verdacht als falsch zu erweisen schien – und nun spielte die schöne Sylvia ein bißchen Blindekuh.

«Zum Kuckuck», sagte ich sehr laut, «Sie verstehen nicht, Frau Eisenreich! Seit Tagen turteln Sie mit Brocksiepen herum, lassen sich abtätscheln, knutschen mit ihm in der Weinlaube, bringen ihren Mann auf achtzig, und als ich nach seinen Reaktionen frage – da verstehen Sie nicht –! Wenn ich Ihren Zirkus nicht zufällig erlebt hätte, dann dürften Sie versuchen, das Unschuldslamm zu spielen, um aus der Schußlinie zu kommen – aber so ist es geradezu eine Frechheit. Ich werde mich überhaupt nicht mehr mit Ihnen unterhalten. Probieren Sie Ihre Tour beim Ermittlungsrichter im Untersuchungsgefängnis, verstanden!»

Ich war aufgestanden. Sie hatte die Augen weit aufgerissen und sah zu mir hoch, als ob ich der Erzengel mit dem Flammenschwert wäre.

Ich ließ sie sitzen und ging zur Tür. Am Türrahmen hing ein Bademantel. Es war ein schönes Stück, weißer dicker Frotteestoff mit dunkelgelben Streifen. Als ich zur Klinke griff, streifte ich den rechten Ärmel des Mantels. Der Ärmel war feucht. Ich nahm ihn vom Haken und sah ihn mir näher an. Der linke Ärmel war trocken, über dem Gürtel an der rechten Brustseite war auch eine große, feuchte Stelle. Ich wandte mich zu Frau Eisenreich.

«War Ihr Mann heute morgen schon zum Baden?» fragte ich.

«Ja!» sagte sie eifrig. «Ja, ja!»

Ich hängte den Bademantel wieder an die Tür und verließ das Zimmer der Eisenreichs.

Am entgegengesetzten Ende des Flurs, neben einer buschartigen hohen Zimmerlinde, saß Maybom in einem Korbsessel zwischen Brocksiepens Tür und der Tür zum Lesezimmer.

«Haben Sie Neustadt erreicht?» fragte ich ihn und winkte ihm mit einer Handbewegung, sitzen zu bleiben.

«Jawoll», sagte er in strammer Haltung, was ihm im Sitzen offensichtlich ungewohnt war und schwerfiel.

«Nun – und?»

«Sie geben alles telefonisch durch, sobald sie es beisammen haben», berichtete er.

«Fein», sagte ich. «Passen Sie weiter schön auf, daß die Damen hier alle artig sind und brav für sich bleiben. Wenn der Hund mal muß, schicken Sie besser Selma mit ihm auf die Straße. Ich will mich ein wenig im Lesezimmer mit dem Doktor Eisenreich unterhalten.»

Maybom kaute an einer Frage. Dienstvorschrift, Untergebenengeist und Neugier kämpften hinter seiner Stirn. Die Neugier gewann: «Kommen Sie voran, Herr Ob – Herr Klipp?»

«Wie ein Frosch im Sirup», sagte ich leise.

Das Lesezimmer war hübsch möbliert. In einem der bunt bezogenen skandinavischen Sessel aus hellem Kiefernholz saß Doktor Eisenreich und las, als ich, ohne anzuklopfen, eintrat. Es war schlechte Luft hier drin. Im Aschenbecher, vor dem Lesenden, lagen die zerknautschten Reste vieler Zigaretten.

«Ah, der Kommissar Maigret», sagte der Doktor aufblikkend, «jetzt geht es los. ‹Wo waren Sie am gestrigen Abend zwischen zwölf und zwölf Uhr dreißig?› – und ähnliche Fragen. Oder?»

Ich lächelte ein bißchen. Sein Spott war ein Ergebnis seiner Angst.

«War heute früh schöne Brandung?» fragte ich und setzte mich an die andere Seite des kleinen Tisches, an dem er saß.

«Wie bitte?» Er wollte Zeit gewinnen.

Ich wiederholte meine Frage.

«Ich verweigere jede Aussage!» sagte er nach einer kleinen Pause und griff ostentativ zur Zeitschrift, die er bei meinem Eintritt aus der Hand gelegt hatte. Unten im Hausflur klingelte das Telefon. Ich hörte Frau Drojahn nach Maybom rufen.

«Aussage?» Jetzt spottete ich. «Ist es eine Aussage, wenn Sie mir sagen, ob die Brandung schön war – aber Herr Doktor Eisenreich! Ich bin durchaus nicht hier, um Sie zu verhören. Ich wollte nur ein wenig mit Ihnen plaudern. Vielleicht über Dikkens und die Geburt der sozialistischen Literatur – oder über das Wetter, über die menschliche Anatomie und darüber, wie wichtig es ist, ungefähr zu wissen, wohin man stechen muß, wenn man ein Herz außer Betrieb setzen will, über die Schwierigkeit, Blutflecke aus Frottee zu entfernen – es gibt so viele interessante Themen.»

Die Zeitschrift war ihm aus den Händen geglitten und über seinen Schoß zu Boden gefallen. Er atmete schwer. Sein scharfgeschnittenes Gesicht sah so aus, daß ich mich gefürchtet hätte, wenn ich im Augenblick nicht zu gespannt gewesen wäre, was er sagen würde.

In diesem Augenblick klopfte es, Maybom steckte den Kopf durch die Tür und sagte: «Doktor Knopf ist am Telefon, Herr Oberkomm – Herr Klipp! Er möchte Sie dringend sprechen!»

Ich hätte Maybom erschlagen können! «Ich rufe ihn in zehn Minuten an», sagte ich mit äußerster Beherrschung. «Und jetzt stören Sie bitte nicht wieder!» Die Tür klappte zu.

Doktor Eisenreich hatte sich zurückgelehnt und bedeckte seine Augen mit der Rechten.

«Schade, Herr Doktor», sagte ich leise. «Nun habe ich den Faden verloren. Wovon sprachen wir doch?»

Er richtete sich auf, seine Hand nestelte an der Krawatte. Mittel- und Zeigefinger fuhren zwischen Hemdkragen und Hals. Er zerrte. Der Knopf riß ab und sprang zu Boden. Doktor Eisenreich nahm keine Notiz davon. Er senkte den Kopf, sah blicklos auf seine Hände, die nun in seinem Schoß lagen, und sagte sehr langsam und fast unhörbar leise:

«Ja – ich habe ihn umgebracht!»

Ich sah ihn an und schwieg. Was hätte ich auch sagen sollen? – «Fein, fein!» – oder «Gut, gut!» – oder «Na also – warum nicht gleich?»

Keine der Floskeln, die man sagt, wenn man nichts zu sagen weiß, war hier am Platz. Ich schwieg, sah Doktor Eisenreich an und hörte im ersterbenden Gesumm einer eingesperrten Fliege die Zeit vergehen ...

Plötzlich hob er den Kopf, blickte mit Augen zu mir herüber, in denen wie faules Holz im Dunkel Angst und Haß und Wildheit glomm und sagte heiser: «Worauf warten Sie noch? Verhaften Sie mich schon endlich, zum Teufel!»

Ich ging nicht darauf ein, bot ihm eine Zigarette an, die er mechanisch nahm und mit einem silbernen Feuerzeug anzündete, ohne auch mir Feuer zu geben.

«Erzählen Sie!» sagte ich.

«Nein!» erwiderte er laut.

«Nein?» Ich war erstaunt. Verbrecher aller Kategorien pflegen nach dem Geständnis im allgemeinen so gern und detailliert und weitschweifig ihre Tat zu schildern, daß man sie eher bremsen als ermuntern muß.

«Nein!» wiederholte Eisenreich. «Ich will nicht davon sprechen. Genügt es nicht, wenn ich gestehe?»

«Aber Sie werden mindestens dem Untersuchungsrichter schildern müssen, wie es vor sich ging», meinte ich.

«Ich schreibe es auf», sagte er. «Ich schreibe es genau auf. Niemand kann mich zwingen, darüber auch noch zu reden!»

«Apart!» bemerkte ich. «Haben Sie Schreibzeug bei sich?»

Er nickte.

«Fangen Sie am besten gleich an. Hier ist Papier!» Ich nahm vom Bücherbord eine Anzahl DÜNENFRIEDEN-Briefbögen und legte sie vor ihn. «Lassen Sie sich Zeit. Kann ich irgendwas für Sie tun? Tasse Kaffee?»

«Der humane Henker!» höhnte er verächtlich.

«Seien Sie nicht albern!» sagte ich und ließ ihn allein.

Maybom saß brav auf dem Flur und guckte mich so gespannt an wie ein Vater den Arzt, der aus dem Kreißsaal kommt. Ich kam mir auch vor wie nach einer Entbindung.

«Ja», sagte ich zu ihm, «das wäre es. Doktor Eisenreich! Eifersucht – die alte Geschichte.»

Der Polizist stand auf. «Soll ich ...?»

«Nichts sollen Sie! Er will ein schriftliches Geständnis ablegen. Bitte bleiben Sie hier. Ich rufe den Arzt an und rede dann noch mal mit Frau Eisenreich. Holen Sie mich, falls ich gebraucht werde, ja!»

Frau Drojahn saß in ihrem Arbeitszimmer. Sie hatte rote Backen und schöne, junge Äuglein vom schönen alten Cognac.

«Gibt's was Neues?» fragte sie, wobei ihre Zunge auf den Zischlauten ausglitt. Knapp zwei Promille, taxierte ich und quatschte drauflos: «Es gibt niemals was Neues, liebe Frau Drojahn! Alles ist immer schon dagewesen. Mich würde es nicht wundern, wenn die ersten Raumfahrer, auf dem Mars landend, alte Römer treffen oder noch ältere Chinesen, die sich bereits seit achttausend Jahren vor ihren Fernsehschirmen langweilen oder die Bildzeitung lesen ... Wenn Sie jedoch nun einen Tropfen auf den heißen Stein namens Klipp gießen würden – dann dürfen Sie auch zuhören, wenn er dienstlich telefoniert.»

«Hi, hi», äußerte Frau Drojahn, griff noch ziemlich zielsicher zur Flasche, schwenkte auf ihrem Drehstuhl herum und goß mir ein Glas voll, das auf dem Tisch stand. «Sie sind mir einer, Herr Klipp! Ein Schelm, ein Witz ...» – aus dem Witzbold oder was sie sagen wollte, wurde ein Schwips – Prusten, das sie mühsam vertuschte, indem sie einen Nieser daraus machte.

Ich wagte nicht, «Prost!» zu sagen, trank also ohne vorherige gute Wünsche und griff zum Telefon.

«Der Herr Doktor», sagte eine Sprechstundenhilfenstimme kühl und geläufig, «ist eben weggerufen worden. Wenn Sie in etwa einer halben Stunde noch mal ...»

Ich versprach es, legte auf und hoffte für den netten, dicken Arzt, daß es die Bronchien eines jungen Mädchens wären, zu denen er gerufen worden war. Dann empfahl ich Frau Drojahn vorsichtig, sich einer gewissen Zurückhaltung der Flasche gegenüber zu befleißigen und kletterte wieder die Treppe hinauf.

Ich war müde. Der Tag fing an zu lang zu werden.

Mein gesunder Menschenverstand hatte sich ein bißchen heißgelaufen – sonst hätte ich sicher daran gedacht, daß das passieren könnte, was dann prompt passierte ... aber ich dachte nicht daran, sondern ging zu Sylvia Eisenreich, um mir von ihr die Mosaiksteine zu holen, die in dem Bild noch fehlten.

Sie saß unverändert am Fenster, ihr Buch ungelesen auf dem Schoß und schaute hinaus zu den paar spillerigen Inselbäumen, die grau vor dem grauen Himmel standen.

«Hat die Versöhnung zwischen Ihnen und Ihrem Mann *nach* seiner Rückkehr aus Brocksiepens Zimmer stattgefunden, Frau Eisenreich?» fragte ich.

«Ich weiß nicht, wovon Sie reden!» sagte sie.

«Immer noch von derselben Geschichte wie vorhin», gab ich geduldig zurück, «nur daß ich sie jetzt kenne – während ich sie vorhin nur vermutete. Wollen Sie sie auch kennenlernen?»

Sie biß sich auf die Unterlippe und wandte sich ab.

«Bitte schön», sagte ich, «wir können es auch als Hörspiel machen. Sie brauchen mir nicht zuzusehen ... also nach dem Krach im Kurhaus, an den Sie sich leider nicht erinnern, gingen Sie schlafen. Ihr Mann lag schon im Bett. Sie sind gewiß, unberührt von den Geschehnissen, gleich eingeschlafen – schnell und sanft, das Nachtgebet noch auf den Lippen. ‹Ich bin klein – mein Herz ist rein› – und so weiter. Und Sie haben gut geschlafen und gar nichts gemerkt. Erst heute morgen haben Sie wieder mit ihrem Mann gesprochen, als Sie erwachten und er vom Baden kam. Frisch und strahlend stand er da, und Sie bewunderten ihn und verstanden sich selbst nicht mehr. Nebenan lärmten die lieben Kleinen – die Sonne schien ins Fenster –, alles sah ganz anders aus als in der dunklen Nacht. Und dann versöhnten Sie sich mit ihm, dem lieben, dem guten ... so war es, nicht wahr? Genau so? Vielleicht stimmen ein paar Kleinigkeiten nicht. Die

Sonne schien nicht. Auch das Morgenbad des sportlichen Gatten in der See hat wohl nicht Ihre Bewunderung geweckt und die Versöhnung beschleunigt ... mag auch sein, daß Sie am Abend nicht gleich einschliefen, sondern noch eine Weile wachlagen, bis der Herr Gemahl schlief. Am Ende standen Sie sogar noch einmal auf, als er schlief? Denn Ihr Gespräch mit Harald Brocksiepen war ja eine Stunde vorher, in der Bodega, mitten im Satz unterbrochen worden ... dieser unvollendete Satz quälte Sie – das ist zu verstehen! Sie gingen – schon aus Rücksicht auf den Schlaf Ihres Mannes – ja, ja, ich weiß, geistig schaffende Menschen brauchen Schlaf wie andere Brot – Sie gingen also leise aus der Tür, den Flur entlang, der still war, zu Haralds Zimmer ... ganz schön aufregend muß das gewesen sein für eine Dame: mitten in der Nacht auf dem Weg ins Zimmer eines anderen Herrn! Ich stelle mir vor, daß Sie Herzklopfen hatten und feuchte Handflächen. Denn wenn Sie jemand entdeckt hätte – was hätten Sie sagen können? Daß der unvollendete Satz Sie quälte? Die Menschen denken gar zu schlecht in solchen Situationen, nicht wahr? ... Aber na, Sie hatten Glück. Niemand kam. Haralds Tür war unverschlossen. Sie öffneten sie – sachte – sachte ... ja! und dann? und was war dann?»

Sylvia Eisenreich hatte sich während meiner langen Geschichte nicht bewegt. Nur zum Ende hin, als ich von Harald Brocksiepens Zimmertür sprach, richtete sie – ohne den Kopf zu wenden – die Augen auf mich.

Der Blick war so, daß ich verstummte und meine Rückenmuskeln spannte, falls sie mir an die Kehle spränge.

Aber sie sprang nicht.

Sie schloß gequält die Augen und begann, schwer atmend, wie in Trance zu reden: «Er schlief. Er lag auf dem Rücken und schlief. Ich hatte gedacht, daß er auf mich warten würde ...»

Sie machte eine lange Pause, und ich fürchtete schon, es ginge nicht weiter. Aber ich hatte heute Glück damit, Frauen zum Sprechen zu bringen. Bei Gesine war es durch Schweigen gelungen, Sylvia Eisenreich hatte mein Spott aus der Reserve gelockt. Ich war sehr gespannt, wie es weitergehen würde.

«Eigentlich wollte ich nicht zu ihm», fuhr sie fort. Jetzt sah sie mich wie um Glauben bittend an. «Er hatte schon beim

Tanzen gebettelt, ich solle zu ihm kommen diese Nacht. Ich hatte es ihm auch halb und halb versprochen. Aber ich fürchtete mich vor einer Entdeckung. Doch dann war mein Mann auf dem Nachhauseweg und hier so ekelhaft, so abgeschmackt und widerwärtig, daß ich ihn einfach aus Wut und Trotz betrügen wollte. Und ich sehnte mich nach ein bißchen Zärtlichkeit und nach Liebe. Deshalb ging ich ... Einmal wollte ich für eine Stunde aus dieser Tyrannei heraus, aus dieser Überheblichkeit und Bevormundung und kalten Arroganz, in der ich seit Jahren lebe. Kein Mensch sieht das! Alle bewundern sie den stillen Gelehrten. Keiner weiß, daß ich von ihm behandelt werde wie ein gekaufter Gegenstand – ach, lassen wir das!» Sie atmete tief und schloß wieder die Augen. «Harald Brocksiepen schlief. Ich stand in seinem Zimmer, zitternd vor Aufregung und nun entsetzlich enttäuscht. Ich weiß nicht, wie lange ich da gestanden hab. Von der Straße her fiel Licht durchs Fenster. Es war kalt. Ich überlegte, ob ich ihn wecken sollte – nachdem ich schon so weit war, zu ihm gekommen zu sein. Ich schluckte meine Enttäuschung und war drauf und dran, mich neben ihn zu legen ... vielleicht, daß er wach würde. Sein Zimmerschlüssel steckte innen an der Tür. Ich griff danach, um abzuschließen – da hörte ich auf dem Flur leise Schritte. Es gelang mir gerade noch, mich in den Schatten zwischen Schrank und Fenster zu stellen, als die Tür geöffnet wurde ...»

Sylvia Eisenreich sprach jetzt schneller und ohne die Pausen, die sie vorher gebraucht hatte, um ihre Scham und ihre Gefühlsbewegung zu überwinden: «Das Mädchen – die Gesine oder wie sie heißt – kam herein. Ich erkannte sie gleich. Sie war ganz schrecklich blaß. Sie schloß die Tür nicht, sondern lehnte sie nur an. Erst als sie vier Schritte auf Haralds Bett zu getan hatte, sah ich das Messer in ihrer Hand. Ich war so entsetzt, daß ich glaubte, ohnmächtig zu werden. Sie ging ganz langsam auf den Schlafenden zu, hob die Hand mit dem Messer. Es war wie ein Albtraum. Ich muß vor Angst gestöhnt haben, denn sie fuhr plötzlich zusammen, ließ die Waffe fallen und rannte hinaus. Die Tür fiel laut hinter ihr zu. Harald rührte sich nicht. Ich stand wie versteinert und konnte eine ganze Weile keinen klaren Gedanken fassen. Ich wollte hinaus, in mein Bett, mich verkriechen, aber ich fürchtete, sie stünde vielleicht noch auf dem Gang draußen und lauerte ...»

Sie hielt inne, legte das Buch beiseite, an dem sie sich bisher festgehalten hatte und sah sich suchend um. Ich bot ihr von meinen Zigaretten an und sie nahm eine. Ihre Bewegungen waren fahrig, und ihre Lippen zuckten. Aber ich ließ nicht zu, daß sie sich zu lange besann.

«Und dann ...?» fragte ich.

«Die Kälte brachte mich zur Besinnung», sagte sie heiser, «ich überwand mich und verließ das Zimmer. Auf dem Gang war es sehr still. Meine Knie waren steif. Ich kam in unseren Schlafraum zurück und erschrak von neuem. Die Nachttischlampe meines Mannes brannte. Sein Bett war leer. In der irrsinnigen Hoffnung, daß er meine Abwesenheit nicht bemerkt habe, legte ich mich hin. Er kam nach kurzer Zeit herein, blieb keuchend – als ob er gerannt wäre – in der Tür stehen und sah mich an. Er sagte kein Wort. Dann fuhr er mit der linken Hand am rechten Ärmel seines Bademantels entlang und hielt mir die Hand mit gespreizten Fingern entgegen. Die Finger waren rot. Ich bemerkte erst jetzt, daß Ärmel und Brust des Frotteemantels voller dunkler Blutflecken waren. Ich wußte sofort, was passiert war ... Und ich blieb bewegungslos liegen und spürte ein seltsames Gemisch von Angst vor meinem Mann, Sorge um ihn und – Liebe für ihn, der mich ja lieben mußte, wenn er meinetwegen gemordet hatte ... Er setzte sich auf den Hocker, dort, am Fußende seines Bettes, schwieg noch immer und betrachtete seine blutige Hand. Ich stand auf, ging zu ihm und streifte ihm den Frotteemantel von der Schulter ... er saß da mit geschlossenen Augen, und ich sah an den arbeitenden Muskeln seines Gesichts, daß er völlig am Ende war. Ich zog den Bademantel von ihm weg und legte den blutigen Ärmel ins Waschbecken.

‹Ich will es auswaschen, ehe es eintrocknet›, sagte ich. Er sprang auf, griff nach mir und riß mich an sich. Ich wußte vor Schreck nicht, was er wollte. Er war wie verrückt und fing an, mich zu küssen und schluchzte und redete alles durcheinander und zerriß fast meine Pyjamajacke und ...!»

Es klopfte. Ich ging zur Tür. Maybom. Er hatte ein seltenes

Geschick, immer dann zu kommen, wenn man ihn nicht gebrauchen konnte.

«Was gibt's?» fragte ich.

«Ich soll Ihnen das vom Eisenreich geben», sagte er und hielt mir zusammengefaltete Papierbögen entgegen. «Von Herrn Doktor Eisenreich», korrigierte ich.

«Na ja», knurrte er und zuckte die Achseln.

Ich nahm ihm das Gebrachte ab. Unten schepperte die Telefonklingel. Ich blieb noch in der offenen Tür stehen, für den Fall, daß der Anruf mir galt. Ich hatte recht gehabt. Selma holperte die Treppe hoch.

«Ein Anruf für Sie!» sagte sie atemlos.

«Wer ist dran?»

«Jemand in Neustadt», stotterte sie.

«Nehmen Sie es an, Herr Maybom», ordnete ich an. «Es werden die angeforderten Daten sein. Eigentlich könnten wir uns das jetzt beinahe sparen – aber schreiben Sie es auf alle Fälle mit. Und – bitte – sagen Sie, wir sind noch mitten drin. Ich will das hier –» ich klopfte mit dem Papier an seine Polizistenbrust – «erst mal lesen, klar?»

«Jawoll!» schnarrte er, machte kehrt und entschwand.

Selma stand noch da mit ihrem intelligenten Gesichtsausdruck und starrte mich an. Daß der Ortsgewaltige vor mir Männchen machte, obschon er fünfzehn Zentimeter größer und noch dazu in Uniform war, schien über ihr Begriffsvermögen zu gehen. Ich war in Versuchung, mit gespreizten zehn Fingern auf sie loszugehen und «Hu!» zu machen. Aber ich tat es natürlich nicht.

«Einen Kaffee?» fragte ich über die Schulter Sylvia Eisenreich.

«Nein, danke!» sagte sie.

«Keinen Kaffee, Selma», sagte ich, «keinen Kaffee mit Zukker und Sahne, verstanden?»

Sie machte vor Verblüffung den Mund auf.

Ich machte die Tür zu und verkniff mir ein Lachen.

«Soll ich weiter . . .?» fragte Sylvia.

«Darf ich dies bitte erst lesen?» sagte ich. So erpicht war ich nicht auf den Rest ihrer Beichte. Schließlich ging es um die Aufklärung eines Mordes und nicht um die sexuellen Folgeerscheinungen.

«Ist es – von meinem Mann?» fragte sie.

Ich nickte, ging zum Fenster und faltete das Papier auseinander. In einer klaren, aber eigenartig starren und altmodisch wirkenden Handschrift hatte Eisenreich drei DÜNENFRIEDEN-Briefbögen vollgeschrieben. Ich hockte mich im Rücken seiner Frau auf das Fensterbrett. Sylvia rauchte von meinen Zigaretten. Die rötlich goldenen Haare in ihrem hübschen Nacken kringelten sich, wenn sie den Kopf bewegte.

Auf der Straße spazierten Kurgäste aller Schattierungen, Reiche und solche, die das ganze Jahr auf vierzehn Tage Urlaub gespart hatten – Kranke, die hier waren, um ihr Bronchialasthma loszuwerden, und Gesunde, die hier waren, um sich noch gesünder vorzukommen. Sie spazierten in den abenteuerlichsten Gewandungen. Seriöse Buchhaltertypen trugen karmesinrote Jacken unter himmelblauen Pudelmützen, hagere Stenotypistinnen staksten in gelben Shorts, brave Hausfrauen präsentierten ihre vom Kinderkriegen und Bohnern aus dem Leim gegangenen Figuren in engen Pullovern und noch engeren Nylonhosen. Dazwischen flanierten die obligatorischen Berufs- oder Gelegenheitsflirter, von denen gewiß einige zusammen mit dem schönen Harald auf Jagd nach horizontalen Erfolgen gewesen waren. Das gezielte Lächeln, das sie auf ihren gepflegten, glatten Gesichtern trugen, würde sicher einem staunenden Entsetzen weichen, wenn sie erfuhren, daß der Jagdgenosse infolge besonderer Umstände nie mehr mitspielen konnte.

Ich wandte mich Eisenreichs eigenartiger Handschrift zu und begann zu lesen.

Er war wach geworden von dem Türenschlagen, so schrieb er – das mußte Gesine gewesen sein –, und hatte seiner Frau Bett leer gefunden. Die Erinnerung an das Geschehen im Kurhaus hatte in ihm sofort den Verdacht keimen lassen, daß sie zu Brocksiepen gegangen war. Mit diesem Verdacht, der sich wie alle Verdachte schnell und üppig aus einem Keim zur stachligen Pflanze entwickelte, lag er und wartete und malte sich aus, was da wohl drei Türen weiter vor sich ging.

Er schrieb das nicht, aber ich konnte mir denken, wie er gelitten hatte. Es muß ziemlich schrecklich sein für einen Mann – noch dazu für einen mit Phantasie –, sich seine Frau in den Armen eines anderen vorzustellen. Zur gekränkten Würde oder Ehre oder Eitelkeit – egal, wie man's nennt, mag dann die Angst kommen, daß der andere – vielleicht zwangsläufig – ein besserer, tüchtigerer, zärtlicherer Liebhaber ist, so daß der ebenfalls zwangsläufige Vergleich zu dessen Gunsten ausläuft – und damit alles verloren und nie zu reparieren ist... fürchterlich! Davon stand kein Wort in Eisenreichs Geständnis. Aber es war ganz deutlich zwischen den Zeilen zu lesen. Hinzu kam, daß der andere – also Brocksiepen – ein Nichts, ein hübscher Dummkopf war, während der wachliegende Eisenreich sich naturgemäß für viel wertvoller hielt, für klüger, reifer und überhaupt für weit überlegen. Kurzum, er konnte es nicht ertragen, stand auf, zog seinen Bademantel an und ging, immer noch in der Hoffnung, sich getäuscht zu haben, hinaus auf den Flur.

Er brachte es nicht über sich, das Ohr an Brocksiepens Tür zu legen – aber er stellte sich, ohne einen Plan, hinter die große, buschige Blattpflanze gegenüber dem Zimmer Haralds, in dem er seine Frau vermutete.

Irr vor Wut und Kränkung, zitternd vor Müdigkeit und Kälte stand er da und wartete. Er wartete nicht lange. Brocksiepens Zimmertür öffnete sich. Sylvia kam leise heraus und lief an ihrem Mann vorbei zurück ins eheliche Gemach. Eisenreich, der damit seinen entsetzlichen Verdacht bestätigt sah, fegte die Trümmer seines Selbstbewußtseins beiseite, sah nur noch rot und ging, um mit dem Betrüger abzurechnen.

Er geriet etwas aus der Fassung, als er den jungen Mann schlafend fand, denn er hatte an Kampf gedacht und nicht an Mord.

Eisenreich schrieb: «... ein Lichtschein fiel auf ein Messer, das vor Brocksiepens Bett lag. Ich bückte mich danach, als ob ich magnetisch davon angezogen würde, hob es auf und stieß es dem Schlafenden ins Herz ...»

Soweit war ich mit meiner Lektüre, als auf dem Flur schnelle, laute Schritte hörbar wurden. Die Tür rappelte unter harten und lauten Klopfschlägen. Ohne auf Antwort zu warten, kam Maybom herein.

«Kommen Sie schnell, Herr Oberkommissar», rief er mit aufgerissenen Augen, «es ist was ...»

Weg war er. Das Wort ‹passiert› hörte ich schon nicht mehr.

«Warten Sie, ich bin gleich wieder da!» befahl ich der Frau des Doktors, die aufgesprungen war und mich ängstlich fragend anschaute.

«Ist etwas mit meinem Mann?» flüsterte sie.

«Keine Ahnung!» gab ich – schon in der Tür – zurück. «Ich sag Ihnen sofort Bescheid!»

Ich rannte den Gang entlang. Frau Wulze hatte ihre Zimmertür zwei Handbreit geöffnet und steckte die Nase heraus. Sie hatte wohl Mayboms Alarm gehört und barst vor Neugier. «Tür zu!» schrie ich sie an.

«Erlauben Sie mal!» fauchte sie, machte aber fix zu.

Das Lesezimmer, in dem Doktor Eisenreich sein Geständnis geschrieben hatte, war offen. Maybom stand im Türrahmen.

«Er ist weg!» sagte er, rot vor Ratlosigkeit.

Das Lesezimmer war leer.

Herr Doktor Armin Eisenreich, Literarhistoriker, Dickens-Forscher, Vater zweier Kinder, tyrannischer Gatte einer attraktiven Frau und – nicht zuletzt – geständiger Mörder aus Eifersucht, Herr Doktor Eisenreich hatte sich verkrümelt.

Er hatte die kurze Abwesenheit Mayboms und meine Nachlässigkeit und Gedankenlosigkeit genutzt und war verschwunden. Sein Feuerzeug lag noch auf dem Tisch neben dem übervollen Aschenbecher. Die Fenster waren geschlossen. Die Luft war schlecht. Eisenreich war weg. Schön – Er konnte nicht weit kommen. Von so einer Insel zu fliehen, ist schwierig. Aber wenn ich meinen Täter nicht wiederfand, bis die Herren Kollegen vom Festland eintrafen ... Ein Blick auf die Uhr: Noch fünf Stunden ... ich sah im Geist den blonden Kommissar Korn, der mal andächtig meinen weisen Lehren gelauscht hatte, die Mundwinkel verziehen, wenn ich ihm mitteilte: «Ich weiß, wer Brocksiepen ermordet hat. Er hat's mir selber gesagt. Aufgeschrieben hat er's auch. Aber ich kann ihn Ihnen nicht übergeben, er ist leider weg. Wie das passieren konnte? Nun, seine Zimmertür war offen. Die Haustür auch. Ich unterhielt mich gerade mit seiner Frau ein bißchen, und den braven Maybom hatte ich ans Telefon geschickt. Tut mir ja sehr leid – aber –» Großartig! Klipp, der geniale Kriminalist – er läßt nur seine Verbrecher immer laufen – sonst ist er ganz gut...

«Wann fährt das Schiff von hier ab zum Festland?» fragte ich Maybom, der mich anblickte wie ein Bauer das Standbild des heiligen Bonifazius, dem er Kerzen für eine gute Rübenernte gestiftet hat und der nun helfen soll, daß der Regen aufhört.

Maybom dachte nach und rechnete. «In knapp zwei Stunden!» sagte er.

«Kann er sonstwie zum Festland?»

«Nein – höchstens mit einem Ruderboot oder mit einem Fischer. Aber die Fischer können auch nur bei Flut rüber. Und rudern, das dauert sechs bis sieben Stunden. Da käme er in die Dunkelheit. Das riskiert keiner. Schon wegen der Nebel um diese Jahreszeit.»

Wenn ich an die Geschichte zurückdenke, dann ist mir heute völlig unverständlich, wie ich damals reagiert und gehandelt habe. Ich muß wirklich sehr müde gewesen sein. Ich hätte natürlich nach Eisenreichs mündlichem Geständnis den Maybom zu ihm ins Zimmer setzen müssen, während er schrieb. Daß ich einen Mann wie diesen seltsamen Bücherwurm allein ließ, war schon der erste Fehler. Und dann, als er stiften gegangen war, stellte ich mich mit dem verschreckten Ortspolizisten hin und theoretisierte, ob und wann und wie Eisenreich geflohen sei, fliehen könne – statt erst mal zu suchen...

Er lag in der Besenkammer unter der Treppe. Wieso er sich gerade diese Kabuse ausgesucht hatte, verstand ich nicht. Eisenreich war doch eher der Typ, der gern ‹in Schönheit› stirbt.

Wir fanden ihn erst nach etwa zehn Minuten. In alle Zimmer hatten wir geschaut, hatten die versteinerten Damen Brocksiepen, die schmollende Frau Wulze, die beschwipste Hauswirtin, das dumme Mädchen Selma und unterm Dach Gesine bei ihren verschiedenen Beschäftigungen und Gedanken gestört, wir hatten in die Toiletten und Badezimmer geguckt und waren schon im Begriff, in den Keller zu steigen, als mir die schmale, mit Tapete beklebte Tür zur Besenkammer ins Auge fiel.

Er lag auf der Seite zwischen der Werkzeugkiste und einer Reihe Plastikeimer, hatte die Augen geschlossen, sah sehr blaß aus und röchelte leise. Neben seiner rechten Hand lag ein Messer – Messer wurden Mode, wie mir schien – und aus seinem linken Handgelenk sickerte Blut.

Es hatte bereits eine Pfütze gebildet, groß, wie ein aufklappbarer Schulatlas. Höchste Zeit.

Ich rief Maybom zurück, der den Flur entlang weitergegangen war. Wir richteten Eisenreich auf. Dabei beschmierte sich der Polizist seine schöne grüne Uniformjacke mit Blut, was ihm einen leisen Fluch entlockte. «Verdammte Schweinerei!» knurrte er.

Zu zweit schleppten wir den Ohnmächtigen aus der düsteren Kammer über den Flur nebenan in mein Zimmer. Ich zog ihm das Jackett aus, riß seinen Hemdsärmel einfach ab, weil sich der Manschettenknopf nicht öffnen ließ und band ihm den Arm mit dem zerrissenen Leinen ab. Als Knebel benutzte ich meine Zahnbürste. Was tut man nicht alles, um das Leben seiner Mitmenschen zu erhalten.

«Das beste wird sein, wir bringen ihn gleich zu Doktor Knopf», sagte ich. Maybom nickte und wischte an seiner Jacke herum. Es war ein Glück, daß Eisenreich – zwar lang, aber wenig über einen Zentner Lebendgewicht – sich so leicht transportieren ließ. Wir hatten ihn drei Minuten später im Auto, ohne Aufsehen zu erregen. Die Straße war leer, alle Kurgäste schienen sich zum Kaffeetrinken begeben zu haben. Durch die Rhododendronbüsche hörten wir fröhliche Melodien aus einem der am Kurplatz gelegenen Restaurants.

«Bleiben Sie hier, Herr Maybom», sagte ich, «lassen Sie die Tanten und Frau Wulze aus ihren Käfigen – ohne Erklärung. Passen Sie auf Frau Eisenreich auf, damit da nicht auch noch was passiert. Setzen Sie sich zu ihr. Plaudern Sie ein bißchen – übers Wetter oder so!»

«Ach du liebe Güte», stöhnte Maybom.

Er zeigte mir noch den Weg zur Tannenstraße, wo sich die Praxis Doktor Knopfs befand und machte kehrt, seiner reizvollen Aufgabe entgegen. Ich fuhr so schnell ich konnte. Am liebsten hätte ich das Blaulicht eingeschaltet. Aber das war mehr eine kleine Jungensehnsucht – als eine Notwendigkeit, denn die Straßen waren leer. So eine Sehnsucht, wie sie auch gesetzte Männer überfällt. Eisenreich, den wir auf den rechten Vordersitz gequetscht hatten, hing und rutschte hin und her und baumelte mit dem schwarzen Künstlerlockenhaupt. In den Kurven hielt ich meinen Arm vor ihn, damit er nicht gegen die Windschutzscheibe oder mir ins Lenkrad fiel. Er röchelte immer noch sehr eigenartig. Mir schoß plötzlich der Gedanke durch den Kopf, das sei vielleicht schon ein Agonieröcheln, und ich beschleunigte die Fahrt noch mehr. Hoffentlich hatte ich nicht schon wieder was falsch gemacht! Am Ende wäre es richtiger gewesen, den Arzt in die Pension zu rufen! Dann kriegten sie mich gar noch am Kanthaken – «Fahrlässige Tötung», was weiß ich.

Ich schwitzte vor Aufregung. Schweißtreibender Ferientag. Die fünf Minuten bis zum Haus des Doktor Knopf kamen mir endlos vor wie eine sechste Schulstunde.

Die Sprechstundenhilfe kam herausgestürzt, als ich vorfuhr und hupte. Sie war wie das berühmte Wort aus dem Buch Hiob: ‹... da ließ der Herr eine lange Dürre kommen ...› Ich nahm an, daß sie von *Frau* Knopf engagiert worden war, als Stimulans gegen die Vorliebe des Doktors für die Bronchien junger Mädchen.

«Klipp», sagte ich, aussteigend.

«Ach so», sagte sie.

«Ein Selbstmordversuch», erläuterte ich und wies auf den blassen Eisenreich. «Er hat sich die Pulsader ...» Sie ließ mich nicht ausreden, sondern rannte zurück in das quittengelb gestrichene Haus. Es dauerte keine sechzig Sekunden, da kam sie mit dem Doktor wieder heraus. Er war in Hemdsärmeln und kaute. «Nicht mal in Ruhe vespern lassen Sie einen», krächzte er.

«Hochsaison», gab ich zurück. «Im Winter haben Sie's dann ruhiger!»

«Glauben Sie», meinte er und übernahm Eisenreichs Beine, während ich dem Feingeist unter die Arme griff. «Im Winter entferne ich die Blinddärme der Insulaner. Täglich zwei bis drei. Der erste kommt meist morgens früh halb fünf. Der zweite, wenn ich mich zum Mittagsschlaf hinlegen will, und der dritte abends, wenn ich mir gerade das erste Bier einschenke. An Fest- und Feiertagen sind es auch vier. Heiligabend sechs.»

Wir schleppten Eisenreich ins Haus.

«Macht etwa sechshundert pro Winter», rechnete ich. «Wieviel Einwohner hat die Insel?»

«Siebentausend», sagte er.

«Na – da sind Sie ja in zehn bis zwölf Jahren durch!»

«Die wachsen aber nach!» sagte er.

«Die Blinddärme?» fragte ich. Wir hatten das Behandlungszimmer erreicht und packten Eisenreich auf die mit weißem Wachstuch bezogene Liege.

«Die Einwohner», sagte er ernsthaft.

Wir sahen uns an und feixten gleichzeitig. Die Sprechstundenhilfe pulte schon den Leinenfetzen von Eisenreichs Handgelenk ab, den ich provisorisch darum gewickelt hatte. Doktor Knopf legte Mittel und Zeigefinger an die Halsschlagader des stillen Patienten. Dann wurde er emsig, zog sich einen weißen Kittel an, der an der Bauchseite ein apartes Muster alter Jodflecken aufwies, horchte Eisenreich ab und gab Anweisungen, die mir wie Kisuaheli klangen – der langen Dürren aber offensichtlich verständlich waren. Sie lief umher, brachte eine Spritze, eine Ampulle mit irgendwas Gelblichem drin, Tupfer und klirrendes blitzendes Werkzeug, das sie aus einer Art Kuchenform holte, die zischend und dampfend an der Seite stand.

Doktor Knopf hantierte an Eisenreich herum, ohne sich um mich zu kümmern. Ich konnte auch nichts sehen, denn er verdeckte mit seinem runden Rücken seine handwerklichen Bemühungen. Einmal fragte er über die Schulter: «Wann hat er das denn gemacht?»

«Vor einer halben Stunde ungefähr!» sagte ich.

«Stehen Sie nicht rum», knurrte er nach einer Weile, «dort ist ein Sessel. Das dauert hier.»

Ich ging quer durch das Behandlungszimmer auf den Sessel zu. Es war ein alter, schäbiger Ledersessel. Generationen von Patienten hatten darin gesessen und dem Arzt ihre Wehwehchen offenbart. Auf dem Weg zu diesem Beichtstuhl sah ich mein Gesicht im Spiegel, der über dem Waschbecken hing. Zuerst erkannte ich das Gesicht gar nicht. Es war nicht das, was ich sonst sah, sondern das alte, müde Gesicht eines fremden Mannes. Ich rümpfte die Nase – und weil das Gesicht im Spiegel gleichzeitig die Nase rümpfte, glaubte ich, daß es mein Gesicht war.

Der Sessel empfing mich wie ein Bett. Er war wundervoll bequem und so weich und schmiegsam, daß die starren Korsettstäbe der sogenannten Selbstdisziplin zu Wachs wurden.

Das war kein Sessel, sondern ein Widerstandsbrecher. Sein Erbauer mußte viel von den Menschen gewußt haben. Ich saß fünf Meter hinter dem Rücken des dicken Doktors, und meine Gespanntheit und schnodderige Kaltschnäuzigkeit war auf einmal wie ein viel zu weiter Mantel, den man abstreift, wenn einem zu warm wird. Ich saß und streifte diesen Mantel ab und merkte, wie meine Muskeln in Urlaub gingen und ließ mich gehen.

Ich wurde nicht glücklich dabei, vielleicht, weil das Gesicht im Spiegel mich so traurig gemacht hatte. Ich betrachtete durch meine vor Müdigkeit schmalen Augen den Doktor bei der Arbeit – und plötzlich war mir mein Beruf so zuwider, wie ... wie ... wie einem Cellisten eine Trillerpfeife zuwider sein mag. Ich saß da, die Füße des halbtoten Eisenreich im Blick, wußte, daß im gleichen Haus irgendwo der ganz tote Brocksiepen lag und sehnte mich danach, nichts mehr damit zu tun zu haben. Ich malte mir aus, daß ich – weit weg von Tod und Verbrechen – in der Studierstube eines Dorfpfarrers säße, in einer Kamelhaarhausjacke mit Bordüren – Geranien auf dem Fenster, das von weißen, gestärkten Gardinen eingerahmt war –, der Duft nach frischgebackenem Streuselkuchen, Bienengesumm, eine langsam tickende Standuhr, viele Bücher rundum in Regalen, deren Bretter sich ein wenig durchbogen – zu meinen Füßen ein Hund, der im Schlaf schniefte und auf dessen Hintern ein Sonnenkringel spielte ... «He, Herr Klipp!» Von Doktor Knopfs Krächzstimme erwachte ich. Sein geräuschvoller Raucherhusten brachte mich vollends in die Gegenwart zurück. Ich wischte mir meine gutbürgerlichen Sehnsuchtsträume aus den Augen und richtete mich auf.

«Der schläft! Das Auge des Gesetzes schläft!» spottete er und lachte.

«Verzeihung!» sagte ich.

«Bitte», sagte er, «Eisenreich ist bedient. Ein bißchen neues

Blut rinnt in seinen Adern, die Wunde ist genäht. Er schläft. Rote Backen kriegt er dann von alleine wieder.»

«Sie haben doch den besseren Job, Doktor», meinte ich in Erinnerung an meinen Pfarrhausstreuselkuchenwunschtraum, «machen den Leuten rote Backen, schön!»

Es roch zwischen Äther, Jod- und Lysolduftwellen tatsächlich nach Streuselkuchen, nach richtigem hausgebackenem Streuselkuchen mit Butter und einer Löffelspitze gemahlenem Zimt in den Streuseln.

«Rote Backen? Das schaffen Stripteasetänzerinnen auch», erwiderte er und schnitt sich eine Zigarre zurecht.

Sie hatten Eisenreichs reparierten Körper auf der Liege hinter einen Vorhang gerollt. Unter zwei Wolldecken lag er da und schlief. Ob er sich ärgern würde, wenn er aufwachte und gar nicht tot war?

«Meine Frau hat uns einen frischen Kaffee gebraut», sagte Doktor Knopf, «der wird Sie munter machen. Außerdem habe ich eine tolle Überraschung für Sie, von der Sie sicher noch munterer werden.»

«Schießen Sie los!» sagte ich gespannt.

«Nee!» Er schüttelte den Kopf. «Erst den Kaffee und frischen Streuselkuchen, wenn Sie mögen. Kommen Sie!» Er nahm mich am Arm, sagte zu seiner Gehilfin, sie solle ein Auge auf Eisenreich haben, und schob mich zur Tür.

Das Telefon klingelte. Die Lange nahm ab, meldete sich, lauschte, rief: «Einen Augenblick, bitte!» Hielt die Sprechmuschel zu und sagte: «Frau Feldmann! Die Wehen haben angefangen, Herr Doktor!»

«Ist die Hebamme da?» fragte Doktor Knopf.

«Ist die Hebamme da?» gab das Mädchen die Frage weiter. «Kommt gleich? Gut! Der Doktor kommt auch gleich!»

«Schöner Job, nicht wahr?» grinste der Doktor. «Da wächst schon wieder ein Blinddarm nach. Aber kommen Sie, wir wollen erst mal Streuselkuchen essen!»

«Im Wartezimmer sitzt noch jemand», mahnte die korrekte Gehilfin.

«Wer denn, zum Teufel?» Langsam verlor der Doktor seine aufgeräumte Laune.

«Fräulein Schell», sagte die Gehilfin geduldig.

«Und wo hat sie's diesmal?» wollte Knopf wissen.

«Es sticht hinten links. Sie hat Angst, daß es eine Tb ist.»

«Schicken Sie sie weg», entschied er. «Für Tb habe ich heute keine Zeit mehr!» Er wandte sich zu mir und schob mich nun endgültig aus der Tür vor sich her.

«Ich will Sie aber nicht davon abhalten, Fräulein Schell das Leben zu retten», sagte ich, «ist sie hübsch?»

«Siebenundfünfzig», erklärte er, «einmal pro Monat kommt sie her, um sich vor mir auszuziehen. Sehe ich so aus? Regelmäßig kommt sie und genauso willkommen wie der Kassierer vom Gaswerk.»

Wir betraten einen großen, hellen Wintergarten, durch dessen Fenster man die Dünen sah. Es duftete himmlisch nach Kaffee und Kuchen. Am runden Tisch saß eine runde Frau mit runden, guten Augen. Doktor Knopf stellte mich vor: «Das ist Herr Klipp, Agnes, ein staatlicher Meisterdetektiv aus Hamburg, mein Hoflieferant für halbe und ganze Leichen!»

«Hör auf, Wolfgang», sagte sie kopfschüttelnd, gab mir die Hand, bot mir Platz an und meinte: «Machen Sie sich nichts daraus. Er tut nur so. Wenn sein Dackel Bauchkneifen hat, weint er.»

Der Dackel, der auf dem freien Stuhl lag und schlief, hob, als ob er verstanden hatte, daß von ihm die Rede war, den Kopf und deutete ein Schwanzwedeln an.

Doktor Knopf kraulte ihn hinter dem Ohr und setzte sich. Er setzte sich behaglich hin und war offensichtlich unberührt von Frau Feldmanns Wehen, Fräulein Schells Stichen hinten links, vom eben zusammengeflickten Eisenreich und von der Leiche des schönen Harald unter seinem Dach.

Agnes Knopfs Kaffee war großartig. Ihr Kuchen ließ mich schon beim ersten Bissen beinahe den eigentlichen Anlaß meines Hierseins vergessen.

Deshalb war ich auch ein bißchen verdattert, als der Doktor – während ich mich gerade anschickte, das dritte Stück zu vertilgen – plötzlich, mitten in der dahinplätschernden Konversation («Haben Sie den Gantenbein schon gelesen?»), fragte: «Womit hat er sich eigentlich die Pulsader aufgeschnippelt, der Idiot?»

«Mit einem Messer», erklärte ich, «so ein Papiermesser war das, ich weiß nicht, woher er es hatte. Aber er scheint eben eine Vorliebe für Messer zu hegen.»

«Wieso?» Doktor Knopf sah mich erstaunt an. «Hat er denn auch das Brotmesser ...?»

Ich bejahte. «Er hat. Das war ja wohl auch der Grund zu seiner Selbstmordidee. Ein geständiger Mörder hat bekanntlich kaum Chancen, weiter in Freiheit zu leben. Ich denke, er wird sich besonders davor gefürchtet haben.»

«Doppelter Idiot!» knurrte Knopf. «Er ist nämlich überhaupt nicht Brocksiepens Mörder!»

«Bitte?» Ich glaubte, falsch gehört zu haben.

«Nein», sagte der Arzt. «Wahrscheinlich glaubt er's – das kann schon sein, wenn er das Messer geführt hat. Aber da irrt er sich. Ich habe Ihnen doch eine Überraschung versprochen, nicht?»

Ich sah ihn verdutzt an. Mein angebissenes Kuchenstück schwebte in Kragenhöhe in meiner Hand.

«Brocksiepen ist nämlich nicht erstochen worden, mein Bester!»

Sein Gesicht war unverändert. Ich konnte auch keinerlei Anzeichen für beginnenden Schwachsinn feststellen. Seine kleinen, lustigen Augen zwinkerten mich an, seine dicke, bläuliche Unterlippe nuckelte an der neuen Zigarre, die er sich eben angezündet hatte.

Ich betrachtete ihn und überlegte, ob und wenn ja warum er mich wohl auf die Schippe nehmen wollte.

«Hatte er einen Herzschlag gekriegt vor Schreck, als ihm die Klinge in die Brust fuhr oder so was ähnlich Blödsinniges? Bitte, Doktor Knopf, machen Sie es nicht so spannend!»

«Ich habe eindeutig feststellen können», sagte er jetzt ganz sachlich, «daß Brocksiepen schon tot war, als ihm irgendwer – also meinetwegen Ihr Eisenreich, wie Sie sagen – das Messer ins Herz stieß. Er ist vergiftet worden ...»

Ich hörte das Wort ‹vergiftet› – aber ich kapierte es nicht. Es dauerte eine sechzig Sekunden lange Minute, bis mir klar wurde, daß ‹vergiftet› für mich genausoviel bedeutete wie: ‹Du hast den Falschen, Leo Klipp!› – und: ‹Alles umsonst!› – und: ‹Auf ein Neues!› – Himmeldonnerwetter noch mal.

Der Kuchen schmeckte mir auf einmal nicht mehr. Ich kaute ihn mühsam und schluckte ihn noch mühsamer, während Doktor Knopf mir die Einzelheiten seiner verfluchten Entdeckung berichtete.

Brocksiepen war an einer schlagartigen Lähmung der Atmungsorgane gestorben. Übermäßiger Blutandrang in fast allen Organen, vor allem aber im Gehirn und in der Lunge, wies, neben allen anderen Symptomen, eindeutig auf eine Vergiftung mit einem Krampfgift hin, sagte der Doktor.

«Um was für eine Vergiftung es sich handelt», sagte er, «das heißt, welches Gift verwendet wurde, kann erst nach einer genauen toxikologischen Untersuchung gesagt werden. Die kann ich natürlich hier nicht machen. Man braucht dazu unter anderem die Möglichkeit, spektrofotometrische Messungen ...» Er wurde von der Sprechstundenhilfe unterbrochen.

«Ich glaube, Sie müssen jetzt zu Feldmanns, Herr Doktor», sagte sie, «die Hebamme hat angerufen. Es wäre soweit!»

Schnaufend erhob er sich. «Auf, auf, auf!» sagte er. «Dann wollen wir mal dem Hersteller künftiger Kalbskoteletts auf die Welt helfen ...» Und er fuhr fort, als er mein sicher sehr verständnisloses Gesicht bemerkte: «... Feldmann hat 'ne große Schlachterei. Er baut auf einen Nachfolger, der ihm das Totschlagen von Vierbeinern in absehbarer Zukunft abnimmt. Hoffentlich ist es nun auch ein Junge! – Was soll ich uns denn mitbringen, Agnes? Einen schönen Hammelbraten? Hast du auch Knoblauch im Haus?»

«Herr Doktor!» mahnte die Gehilfin leise, aber dringlich.

«Ich komme ja schon», rief er, gab mir die Hand und sagte: «Nix für ungut, Meister Klipp – aber Sie müssen nun wohl noch mal von vorn anfangen?»

Ich nickte. Er warf den Kittel auf einen Stuhl, zog im Laufen sein Jackett über, nahm die bereitgehaltene Instrumententasche, ging trällernd davon und knallte hinter sich die Flurtür zu. Frau Knopf schüttelte mit einer um Entschuldigung bittenden Gebärde den Kopf. Ich lächelte ihr zu und mimte verständnisvolle Großzügigkeit – obschon ich eigentlich nicht genau wußte, was zu entschuldigen war und obschon ich dem Heulen viel näher war als dem Lächeln. Da flog die Haustür noch einmal auf. Der

Doktor kam atemlos zurückgelaufen, steckte den Kopf in die Veranda und sagte: «Falls das ein Anhaltspunkt für Ihre Arbeit ist – ich könnte mir denken, das Gift war in der Schokolade, die er zuletzt gegessen hat. – Das wollte ich nur eben noch sagen!» – und entschwand.

Ich hatte noch knapp vier Stunden Zeit, bis die Herren Kollegen von der Mordkommission eintreffen würden. Knapp vier Stunden, einen Toten, einen verhinderten Selbstmörder, der irrtümlich glaubte, ein Mörder zu sein, eine Ferienpension voll verstörter Damen – von denen nun eine nach menschlichem Ermessen den Mord wirklich begangen haben mußte. Und ich hatte das Stichwort ‹Schokolade› ...

Maybom erwartete meine Rückkehr am Fenster des Eisenreich-Zimmers. Ich winkte ihm zu, als ich aus dem Polizei-VW stieg. Es muß kein sehr fröhliches Winken gewesen sein, denn er kam mir auf dem Flur mit einem Gesicht entgegen, wie ein Leichenbitter.

«Ist er tot?» fragte er flüsternd.

«Nein», erwiderte ich. «Doktor Eisenreich lebt. Ein bißchen neues Blut – eine genähte Schnittwunde am Handgelenk –, bald wird er auch wieder rote Backen haben, oder richtiger: weniger wächserne als vorhin. Denn blaß war er ja immer, der Gute, nicht wahr?»

«Jawoll!» sagte Maybom.

Ich merkte, wie er behutsam schnuppernd die Nase hob, um zu prüfen, ob ich nicht in Knopfs Praxis über den Spiritus geraten sei – oder ...

«Er lebt», wiederholte ich, «und er wird sich freuen, wenn er zu sich kommt. Das muß ein seltsames Gefühl sein, als Mörder ins Jenseits gewollt zu haben und im Diesseits erwachen als ... ja, was ist das eigentlich, Herr Maybom, wenn einer einen totsticht, der schon tot ist? Ist Ihnen so was schon mal passiert? Ich meine – haben Sie schon mal so 'n Fall gehabt? Wie ist das juristisch? Ist der Mörder dann noch ein Mörder? Ich kenne mich da nicht so aus. Sie?»

Maybom vergaß vor Staunen über meine Tirade das Zwinkern. Aus weitoffenen Augen guckte er mich an. Dann stotterte er: «Ich verstehe nicht, Herr Oberkommissar, er hat nicht...?»

«Doch – er hat!» sagte ich. «Wir haben's ja von ihm sogar schwarz auf weiß. Und er ist da absolut glaubwürdig. Er hat Brocksiepen erstochen – nein, nicht er-stochen, er hat ihn gestochen. Denn Brocksiepen schlief nicht, wie Eisenreich glaubte – Brocksiepen war schon tot. Noch nicht lange, ein paar Minuten, zehn vielleicht. Das ist wurscht. Jemand hatte ihn vergiftet.»

«Ich krieg zuviel!» stöhnte Maybom ganz undienstlich, griff sich an die Stirn und rieb sich mit seiner großen, behaarten Hand übers Gesicht, wobei er einen Augenblick lang seine Nase mit Daumen und Zeigefinger festhielt und mich immer noch ungläubig betrachtete.

Wir gingen langsam nebeneinander, Schritt für Schritt, auf das Zimmer zu, in dem Sylvia Eisenreich saß.

Ich meditierte: «Was es so für blödsinnige Zufälle gibt! Sehen Sie, wenn der eifersüchtige Eisenreich nun eine andere Art Mann wäre, so einer, der kämpft – Auge in Auge mit dem Gegner oder so – solche gibt's... dann hätte er den vermeintlich Schlafenden zu wecken versucht, ehe er ihm das Messer ins Herz stieß. Und dabei hätte er entdeckt, daß der Herr Nebenbuhler schon von anderer Hand erledigt worden war. – Dann hätten wir gleich in der richtigen Richtung gesucht, vielleicht schon was gefunden, vielleicht sogar schon die Mörderin...»

Maybom blieb stehen. «Mörderin?»

«Freilich», fuhr ich fort. «Gift ist ohnehin meistens Frauensache – und außer Eisenreich und mir sind ja nur Damen im Haus. – Aber außerdem hätte sich Eisenreich die Pulsader nicht aufzuschneiden brauchen, wir hätten viel Zeit gewonnen, statt mit ihm herumzuopern – na, und so weiter.» Ich war gut im Fluß, und das Gerede tat mir wohl.

Die Enttäuschung, die jede vergeblich geleistete Arbeit hervorruft, wich neuem Tatendrang. Noch knapp vier Stunden, allez hopp, Leo Klipp! – und ich pfiff ein paar Takte irgendwas Aufmunterndes, die Marseillaise oder so was, ich weiß nicht mehr.

«Gehen Sie noch ein Viertelstündchen zu Frau Eisenreich, Herr Maybom», ordnete ich an, «sagen Sie, der Herr Gemahl wäre außer Gefahr – aber sagen Sie nicht mehr!»

«Jawoll!» knarrte der Polizeimeister erleichtert.

Meine geschwätzige Depression vorhin hatte ihn an der Obrigkeit zweifeln gemacht. Mein Befehl gab ihm neuen Glauben und frische Zuversicht.

So einfach ist das; wenn in schwierigen Lagen nur einer da ist, der was befiehlt – gleich ist alles in Ordnung!

«Haben Sie sich notiert, was man in Neustadt über die Herrschaften erfahren hat?» fragte ich noch.

«Jawoll, Herr O –, Herr Klipp», strahlte Maybom und angelte aus seiner Tasche ein paar Blätter Papier und reichte sie mir. «Hoffentlich ist es zu lesen!»

Ich warf einen Blick auf die Notizen. Sie waren wie gestochen in einer akkuraten Sütterlinschrift geschrieben, ein fleißiger Realschüler hätte es nicht besser gekonnt.

«Prima!» lobte ich. Der Wachtmeister grinste geschmeichelt. «Und wo befinden sich die Damen?»

Er rapportierte: «Frau Wulze und das hagere Fräulein Brocksiepen mit dem Hund sind raus, Luft schnappen. Das mollige Fräulein Brocksiepen packt Koffer in ihrem Zimmer. Die Gesine hilft Selma in der Küche beim Abendessen vorbereiten, denn Frau Drojahn ist...» Er suchte ein Wort für blau. «– ist – ist betrunken. Sie schläft in ihrem Arbeitszimmer.»

«Und die Eisenstein-Kinder?»

«Die waren hier, haben Sie gesucht und sind dann mit ihrem Fräulein noch für eine halbe Stunde zum Kurkonzert.»

«Ach ja», sagte ich, «Kurkonzert gibts ja auch noch! – Haben Sie den Schlüssel vom Zimmer des Toten bei sich?»

Er nickte eifrig und gab ihn mir.

«Ich will mich dort noch mal umsehen. Auch in den Zimmern der Damen. Wenn ich ein klein wenig Glück habe, finde ich was – vielleicht sogar Schokolade!»

«Wie bitte?» Maybom schien zu glauben, daß ich wieder spänne...

«Schokolade», sagte ich. «Haralds letzter Bissen bestand nämlich daraus. – Also bis dann! Ich löse Sie nachher ab bei Frau Eisenreich!» Damit wandte ich mich dem Tatort zu und murmelte vor mich hin: «Samiel hilf!» Ich hätte mir einen frommeren Helfer wünschen sollen, wie sich etwas später herausstellte. Man soll auch auf Mörderjagd den Teufel nicht an die Wand malen.

Als erstes machte ich wieder mal die Fenster auf. Dieses Zimmer war von einem Mief erfüllt, als hätte sich der häßliche Tod des schönen jungen Mannes wie ein Nebel in alle Polster und Vorhänge gesetzt – schauderhaft.

Ich suchte sehr behutsam, hob mit spitzen Fingern Brocksiepens Sachen auf, fand in der Brusttasche seines Jacketts ein halbleeres Schächtelchen jener ‹Männerkraft›-Tabletten, die man in der Tasche eines Zwanzigjährigen vermutet wie einen Kaugummi unter der Schreibtischplatte einer Diakonissenoberin. Sonst fand ich nichts, was mich überrascht, nichts, was mir weitergeholfen hätte – der Inhalt seiner Taschen, die Dinge seines persönlichen Bedarfs, seine Wäsche, Kleidung, Schuhe, seine zwei Bücher, seine vielen Cremes, Puder, Haar-, Gesichts-, Rasierwasser – alles paßte genau zum Bild, das ich von ihm schon gewonnen hatte, als er noch lebte: Ein reicher Beau, einer von der Sorte, aus deren langweiligen Abenteuern die Titelzeilen der billigen Wochenblätter gemacht wurden: «Harald kämpft um sein Glück!» oder: «Ich liebe Lu!, ruft Harald unter Tränen». Nun – dieser nicht mehr.

Eine Weile stand ich in der Mitte des Zimmers und hing dem Gedanken nach, ob die unvermuteten Krafttabletten irgendwas mit dem Tod des Burschen zu tun haben könnten – aber ich verwarf die Idee.

Auch ein Selbstmord schien mir sehr unwahrscheinlich. Solange einer eine Handvoll Scheine und Münzen lose in der Jakkentasche hat, solange er solchen Erfolg bei Frauen hat, daß er der Nachfrage nur mit pharmazeutischer Nachhilfe Herr zu werden scheint – solange ist kein Selbstmord drin. Und wenn – dann nur mit Trara und großem Weltschmerz-Abschieds-Theater. Auch Doktor Knopfs Stichwort – Schokolade – stand einer Selbstmordtheorie im Wege. Ich hatte jedenfalls noch nie gehört, daß jemand ein Stück Schokolade in Zyankali, Strychnin oder was auch immer taucht, ehe er's runterschluckt... und ich konnte mir das auch nicht vorstellen.

Mit diesen Überlegungen beschäftigt, hatte ich die Suche wieder aufgenommen und schließlich, als ich es schon aufgeben wollte, als bereits neue Mutlosigkeitswolken an meinem Gemütshimmel aufzogen, fand ich ein Stückchen Stanniolpapier zwischen den Fransen des Bettvorlegers. Es war zu einem lokkeren Kügelchen zusammengerollt und hatte bestimmt dazu gedient, eine Praline zu umhüllen. Das war alles. Nicht viel – aber immerhin.

Ich steckte es ein, schloß das Fenster und verließ die muffige Bühne, auf der in der letzten Nacht das Schauerstück «Tod eines Playboys» gespielt worden war. Das Drama hatte fünf Mitwirkende gehabt: Brocksiepen in der stummen Hauptrolle, Sylvia Eisenreich als Beinahe-Ehebrecherin aus Zorn und Trotz, Gesine als Beinahe-Mörderin aus Liebe und verletztem Stolz, Doktor Eisenreich als Beinahe-Mörder aus Eifersucht und gekränkter Eitelkeit – das waren vier.

Und wer war der fünfte? Aus welchen Motiven hatte er seine böse Rolle gespielt?

Schon um überhaupt aktiv zu bleiben, als auch aus anderen Gründen ging ich hinunter zum Telefon in Frau Drojahns Arbeitszimmer. Die Wirtin saß auf ihrem geblümten Sofa, hatte die Hände über dem Bauch gefaltet und schlief. Ein Bild des Friedens. Daß der Frieden aus der Flasche kam, die gerade noch einen Schluck für mich beherbergte, war verständlich und eine Sache für sich. Drojahn selig schaute mißbilligend von der Wand. Ich rückte eine Vase mit Strohblumen zwischen ihn und die pflichtvergessene Gattin und griff zum Hörer. Dr. Knopfs Sprechstundenhilfe tat immer noch Dienst. Nein, der Doktor war noch nicht wieder da. Zögernd nannte sie mir die Nummer des werdenden Vaters Feldmann. Ich rief dort an. «Hier Feldmann!» sagte eine Stimme, die nach Bauch klang.

«Na – Herr Feldmann», sagte ich, «kann man schon gratulieren?»

«Ja!» jubelte der Baß. «Ein Junge! Es ist ein Junge, neuneinhalb Pfund, und er hat schon Haare – und brüllt!» – Er schien zu stutzen: «Wer ist denn dort überhaupt?»

«Entschuldigung», sagte ich, «Klipp – aber das ist jetzt gar nicht wichtig! Herzlichen Glückwunsch vor allen Dingen! Kann ich denn mal den Doktor sprechen?»

«Ja, bitte – danke – na so was! Augenblick mal!»

Ich hörte ihn rufen.

«Tut mir leid, Doktor», sagte ich, als der Arzt sich meldete, «ich wollte Sie nicht vom Kinderkriegen abhalten. Nur eine Frage: Sie sagten Schokolade – es kann sich wohl auch um Pralinen gehandelt haben?»

«'türlich», krächzte der Doktor Knopf, «durchaus möglich, wollen Sie vielleicht noch das Fabrikat wissen?»

«Sie sind ein Schalk», lachte ich, bedankte mich und legte auf.

Frau Drojahn, im Schlaf an Männerstimmen nicht mehr gewöhnt, wurde unruhig, prustete und blubberte, schlief aber dann weiter.

Zum x-undneunzigstenmal an diesem Tag stieg ich in den ersten Stock der Pension Dünenfrieden – dreizehn Stufen hatte die Treppe ...

Aus dem Zimmer fünf, in dem Hilda Brocksiepen, die mollige der Tanten, wohnte, waren Schritte zu hören, die Geräusche von knarrenden Schranktüren und Stühlerücken.

Im Zimmer drei hörte ich Maybom reden. «... bei Windstärke zehn», sagte er gerade, «ist das unmöglich ...»

Ich würde nie erfahren, was bei Windstärke zehn so unmöglich war, daß man damit Konversation machen konnte.

Frau Wulzes Zimmer war still. Ich sah auf die Uhr. Wenn sie, was anzunehmen war, ihr Bedürfnis nach frischer Luft mit ihrer ausgeprägten Vorliebe für Operettenmelodien verbunden hatte, dann saß sie jetzt an der Kurpromenade. Trotzdem klopfte ich, denn der Schlüssel steckte. Es rührte sich nichts. Ich öffnete die Tür und ging hinein. Ehe ich sie noch richtig hinter mir zugemacht hatte, traf mich der Schlag an den Hinterkopf. Er kam so unerwartet und heftig, und ich war so ahnungslos und erschrocken, daß ich zusammenklappte wie vom Blitz getroffen. Ich spürte noch den Aufprall auf den Fußboden, dann rutschte ich mit ungeheurer Geschwindigkeit durch ein Feuerwerk roter und grüner, blauer und weißer Raketen und Sterne in eine samtene Dunkelheit, die warm und ruhig und leer war.

Ich kann nicht sagen, wovon ich zu mir kam: War es der Schrei und das laute sächsische «Ach du liebe Güte!», war es das kalte, nasse Handtuch, das mir übers Gesicht geklatscht wurde oder war es der Sand, den ich in Ohr, Nase und Mund hatte?

Egal, ich setzte mich auf, bekämpfte das Gefühl akuter Seekrankheit, warf das nasse Tuch beiseite, das mir auf den Schoß gefallen war und wischte und spuckte den Sand fort. Ich hatte genug. Zwei Niederschläge an einem Tag sind auch für geübte Leute reichlich. ‹Samiel hilf!› dachte ich.

«Wie ist das denn passiert, um Himmels willen?» wollte Frau Wulze wissen. «Sind Sie hingefallen? Und überall alles voller Sand?...» Sie wies auf den Teppich. Tatsächlich. Es sah aus wie eine halbe Wanderdüne en miniature. Die andere Hälfte rieselte mir gerade in den Kragen. Schöner weißer Sand, der Stolz der Kurverwaltung.

Ich erhob mich, klopfte mir den Stolz der Kurverwaltung ab, so gut es ging, und erläuterte Frau Wulze, ebenfalls so gut es ging, daß ich in ihr Zimmer gekommen sei, weil ich geglaubt hätte, auf mein Klopfen ein Herein zu hören.

«Ich wollte eigentlich nur ein paar Fragen stellen», sagte ich, «aber dann muß ich ohnmächtig geworden sein oder so was – ich weiß nicht. Habe ich noch nie erlebt! Und der Sand? Ja, der muß wohl aus meinen Hosenaufschlägen und Taschen sein – anders kann ich mir das auch nicht erklären...»

Sie schien meine dünne Ausrede zu schlucken. Ich sagte, daß ich das Mädchen heraufschicken würde, um auszufegen. Die Fragen könnte ich später an sie richten. Jetzt müßte ich erst mal was zu mir nehmen, auf den Schreck...

«Ist denn nicht überhaupt schon Abendbrotzeit?» Mit dieser Frage schloß ich meine Rede.

«Ach, das ist ja alles ziemlich durcheinander heute», quängelte Frau Wulze. «Sie sollten einen Schnaps trinken, Herr Klipp», fuhr sie fort, «warten Sie mal. Es ist ja wohl keine Beamtenbestechung, nicht wahr?»

Sie lief zum Kleiderschrank, öffnete ihn weit und fischte eine dreiviertelvolle Flasche Weinbrand heraus.

‹Guck mal einer die alten Tanten!› dachte ich. Dann sah ich die Pralinenpackung oben im Hutfach. Frau Wulze spülte einen kleinen, silbernen Becher aus, füllte ihn und reichte ihn mir. Ich dankte, trank, stand immer noch so herum und überlegte, wie ich auf die Pralinen zu sprechen kommen konnte. Mein Kopf tat weh. Ich hatte gar keine Lust, ihn über Gebühr anzustrengen. Also wählte ich den direkten Weg: «Das ist ja eine seltsame Packung. Habe ich noch nie gesehen», sagte ich und nahm sie einfach aus dem Schrank. «Essen Sie gern Pralinen, Frau Wulze?»

«Leidenschaftlich!» gestand sie. «Aber ich muß ja vorsichtig sein. Ich neige zu Zucker, Herr Klipp. Das sind Diabetiker-Pralinen. Recht gut. Probieren Sie mal, wenn Sie mögen!»

Ich lehnte mit vielem Dank ab, nein – nur die Packung hätte mich interessiert, sagte ich, ohne nähere Gründe anzugeben.

«Hübsche Packung, nicht? Lauter so putzige Papageien!»

‹Putzige Papageien› in Sächsisch war für mein buchstäblich angeschlagenes Gehör und Gehirn zu viel. Ich dankte noch mal für den Schnaps und verabschiedete mich fix. Der Gong im Erdgeschoß schepperte zum Abendbrot, als ich auf den Flur trat.

In der Veranda, die auch als Speiseraum diente, war nur für fünf Personen gedeckt. Uschi saß mit den zwei Eisenreich-Kindern schon da, als ich kam. Sie betrachtete mich besorgt. Ich mußte nicht sehr gut aussehen. Frau Wulze kämpfte mit sich, ob sie mich auffordern dürfte, an ihren Tisch zu kommen. Es war ihr anzusehen, wie das ‹Recht der Retterin› mit der Kleinbürgervorstellung in ihr rang, nach der Polizisten sowieso und Kriminalbeamte in noch höherem Maße höhere Wesen sind. Ich setzte mich zu ihr und bat die bedienende Selma, mein Gedeck herüberzubringen. Frau Wulze strahlte. Es gab herrliche Seezungenröllchen mit Champignons und allerlei Salat dazu. Das Mädchen fragte: «Möchten Sie bitte Tee oder Milch oder Schokolade?»

«Bier!» sagte ich trotzig.

Trotz Streuselkuchen und k. o. schmeckte es mir vorzüglich. Frau Wulze sagte, daß die anderen alle auf ihren Zimmern äßen.

Mir fiel der arme Maybom ein, den ich ja hatte ablösen wollen. «Kriegt der Herr Maybom auch was?» fragte ich Selma.

«Ja sicher!» sagte sie eifrig. «Er ißt oben!»

Gut, daß sie nicht ‹bei Frau Eisenstein› gesagt hatte.

Ich vergaß vor Spaß am Essen zeitweise, daß die Zeit verging.

Hie und da trafen sich Uschis und meine Blicke. Es war sechzehn Jahre her, nicht sechzehn Stunden, daß ich sie im Arm gehabt hatte. Sie war aber nicht älter geworden – im Gegensatz zu mir. Ich kam mir wie fünfzig vor. Doktor Knopf hatte doch den besseren Job. Er sagte: «Sooo – tief atmen! Sooo – noch mal!» horchte ein bißchen, klopfte ein bißchen ... und schon hatte er den Täter, der ‹Katarrh› hieß – oder in schlimmeren Fällen ‹Pneumonie› ... und ich?

Das Telefon klingelte mal wieder. Selma rief vom Flur: «Herr Klipp!» Kollege Korn teilte mir mit, daß sie jetzt losführen. In etwa drei Stunden möchten sie bitte vom Hafen abgeholt werden. Ob ich das dem Kollegen Maybom wohl bitte ausrichten wollte?

«Geht in Ordnung!» sagte ich.

Er konnte sich's nicht verkneifen: «Gibt es was Neues?»

«Ja», erwiderte ich, «die Nichte des Kurdirektors soll Miss Nordsee werden, habe ich gehört. Mehr kann ich Ihnen am Telefon angesichts meines zahlreichen Publikums nicht sagen, lieber Herr Korn!»

«Entschuldigen Sie», sagte er kleinlaut.

«Bitte, bitte!» sagte ich und legte auf.

Nach dem Essen verzog sich Frau Wulze, der in meiner Gegenwart doch nicht so ganz wohl war, um noch mal ums Viereck zu gehen.

«Die Luft ist so herrlich nach dem Regen!»

Die Eisenreich-Kinder kamen zu mir und sagten: «Gute Nacht!» Kiki rutschte es heraus: «Wissen Sie, wie es unserem Papa geht, Herr Klipp?»

Uschi, die hinter den Kindern stand, biß sich verlegen auf die Unterlippe.

«Gut, mein Mädchen», sagte ich, «ich denke, er wird bald wieder da sein!»

«Heute abend?» fragten die Kinder im Chor.

«Das glaube ich nicht – aber sicher morgen!» Worauf Uschi erstaunt den Kopf hob. «Bitte, Uschi», wandte ich mich an sie, «falls Frau Eisenreich will, soll sie die Kinder gerne ins Bett bringen. Aber es wäre ganz gut, wenn jemand dabeibliebe. Der Polizeimeister könnte inzwischen mal zu mir kommen.»

Maybom kam. Wir saßen eine Viertelstunde allein in der Veranda. Ich bestellte ihm ein Bier.

«Was haben Sie für einen Eindruck von der Frau?» fragte ich.

«Da verlaß ich mich nicht drauf», gab er zurück, «aber logischerweise kann sie's – immer nach meiner Meinung –, Herr Klipp, nicht gewesen sein. Warum hätte sie das machen sollen, wenn es so war, wie Sie's mir erzählt haben. Die war doch verknallt in den Brocksiepen. Und Gift... in Schokolade? Daß muß von langer Hand vorbereitet werden. Also ich weiß nicht...»

Er schwieg, trank sein Bier und hatte richtige Furchen vom Nachdenken auf der Stirn.

Ich sagte ihm nicht, was mir widerfahren war. Erstens fand ich's nicht so ruhmvoll, zweitens hätte er wahrscheinlich doch nur die gleichen Schlüsse gezogen, zu denen ich gelangt war – und die halfen uns gar nichts ohne Beweise.

«Spielen Sie Schach?» fragte ich.

«Ja, einigermaßen», sagte er erstaunt.

«Nehmen Sie das Brett und die Figuren dort unter dem Radiotisch, gehen Sie damit bitte wieder nach oben und leisten Sie Frau Sylvia noch eine halbe Stunde oder anderthalb Gesellschaft. Sie spielt. Ich habe es neulich abends gesehen.»

Ich saß allein und nahm die Notizen aus der Tasche, die sich Maybom bei der Durchsage der Personalien gemacht hatte.

Obenauf – der korrekte Inselgewaltige hatte für jede Person einen extra Zettel genommen – obenauf lagen die Notizen über Agathe Sötebeer, geb. Brocksiepen. Geboren 1902 in Uelzen. Lyzeum von – bis. 1924 – ich wurde aufmerksam – als eine der ersten Frauen Deutschlands in der Olympiamannschaft (Disziplin: Kugelstoßen), 1926 mit Hinrich Sötebeer, Apotheker in Brake an der Weser, verheiratet – soweit war ich, als Uschi kam. Sie setzte sich zu mir, lächelte mich ein bißchen zaghaft an und sagte: «Was gibt's Leo? Erzähl es mir, ja! Ich finde mich nicht mehr zurecht. Erst wird mein Brötchengeber in ein extra Zimmer gesperrt, dann ist er plötzlich weg, ich kombiniere, daß er mit Brocksiepens Tod irgend etwas zu tun hat – und das wäre ja kein Wunder nach alldem –, und vorhin sagst du den Kindern, daß er bald wiederkommt. Oder hast du das ihnen nur zur Beruhigung gesagt?»

Ich wies das geliebte Mädchen darauf hin, daß ich zu absoluter Verschwiegenheit dienstlich verpflichtet sei. Ich knüpfte an diesen ernsten Hinweis einige allgemeine Betrachtungen über die Wißbegier der Weiber. Ich führte aus, wie schon große Unternehmungen: Kriege, Erfindungen, Geschäfte, politische Pläne, Reformen, Revolutionen – durch ebensolche Wißbegier und natürlich durch mangelhafte Standfestigkeit der Männer vereitelt, im Keime erstickt worden waren. Ich steigerte meinen Vortrag zu dem Erkenntnissatz, daß ohne die Tuscheleien der Liebe die Weltgeschichte gewiß einen völlig anderen Lauf genommen haben würde... und dann, nachdem ich meine Abscheu vor weiblicher Neugier und männlicher Schwäche mehrfach ausdrücklich betont hatte – dann erzählte ich Uschi, im Flüsterton versteht sich – die ganze Geschichte, soweit ich sie bis jetzt übersah.

«Und nun», schloß ich – und vorübergehend überfiel mich wieder die Resignation wie ein Regenguß – «und nun sind nur noch sieben Damen im Rennen – von dir abgesehen! Du kannst dem Schicksal dankbar sein, daß du ausgerechnet in meinen Armen die Nacht...»

«Du Ekel!» unterbrach mich Uschi, wurde entzückend rot und trat mir unter dem Tisch ans Schienbein – sanft, aber spürbar.

«Das hättest du zu mir nicht sagen dürfen, als ich mich im Dienst fühlte!» konterte ich. «Beamte sind gegen so was empfindlich! Wenn du weiter nichts zur Sache weißt!»

«Sieben?» fragte Uschi, nun ganz ernsthaft.

Ich zählte auf: «Die Gattin Eisenreich, Frau Wulze, zwei Damen Brocksiepen, wovon eine eigentlich Sötebeer heißt, Kugelstoßmeisterin und Witwe ist – davon später –, das macht vier. Dazu Frau Drojahn, Gesine, Selma... aus!»

«Welche Tante Brocksiepen heißt eigentlich Sötebeer?» wollte sie wissen.

«Die lange, hagere», sagte ich.

«Die ist komisch!» lachte Uschi.

«Komisch?» – Ich hatte sie bisher als hölzern und stocknüchtern empfunden.

«Ja», nickte Uschi. «Furchtbar komisch! Denk dir nur, vorhin, als ich mit den Kindern aus dem Kurpark kam, haben wir zwischen den großen Rhododendronbüschen Verstecken gespielt. Die Kinder hatten sich versteckt, ich mußte suchen. Und wie ich mich da so hinkauere, um unter den dunklen Blätterdächern, die wie Hütten sind, irgendwo Kiki oder Jojo zu entdecken – da sehe ich doch die dürre Brocksiepen-Tante auf dem Weg entlangkommen. Ich rühre mich nicht, verstehst du, weil ich nicht gesehen werden will. Denn was soll die denken, denke ich, wenn ich da so kauere zwischen dem Gebüsch ...» Uschi kicherte.

Ich sah heimlich nach der Uhr. Noch zweieinhalb Stunden ...

«Aber dann blieb sie auch noch direkt neben einem Papierkorb stehen, keine acht Schritte von mir entfernt. Sie guckte sich nach allen Seiten um, holte irgendwas aus ihrem schwarzen Lederbeutel, den sie als Handtasche immer mit sich schleppt, und warf ihr Papierknäuel, oder was das war, hinterrücks hinein. Dann schnaufte sie ganz laut auf und ging schnell weg. Sie rannte fast. Das sah zu komisch aus. Ich richtete mich auf und ...»

«Halt!» unterbrach ich, heiser vor Aufregung und faßte nach Uschis Arm.

Sie fuhr zusammen. Mein Griff mußte kräftiger gewesen sein, als es unter Verliebten der Brauch ist. Aber ich hatte im Augenblick auch alles andere im Sinn als Zärtlichkeit.

«Komm», sagte ich und stand schon. «Zeig mir, wo das war!»

«Ach du grüne Neune!» rief sie erschrocken.

Es fing schon an dunkel zu werden. Der Wind hatte gedreht und blies jetzt frisch aus Osten. Als wir auf die Straße traten, leuchteten gerade die Kugellampen auf. Der Himmel war noch bezogen, aber die Wolkendecke hatte das eintönige aussichtslose Grau verloren und wirkte flockig und locker. Die Dumpfheit in meinem Kopf hob sich mit jedem Schritt und Atemzug.

Ich nahm die Dame meines Herzens an die Hand und ging mit ihr die Straße entlang und an der kleinen Gärtnerei vorbei, durch deren Ladenfenster ich ein müdes Mädchen sah, das einen wagenradgroßen Kranz aus Tannengrün mit weißen Chrysanthemen besteckte. Fünfzig Meter hinter der Gärtnerei bog der Weg nach rechts ab, der zum Kurpark führte. Eine Tafel, geschnitzt, sehr künstlerisch gestaltet, wies darauf hin, daß dies der Beginn der Kuranlagen sei, daß man Hunde anzuleinen habe, daß jegliches Betreten der Rasenflächen, jedes Lärmen, Spielen, Radfahren, Aufstellen von Zelten, jedes Feuermachen und überhaupt jegliche Benutzung der Anlagen zu anderen als zu Kur- und Erholungszwecken (wie selbstverständlich auch das Tragen von Badekleidung) untersagt, unstatthaft, verboten sei. Es war ein ellenlanger Text in geschraubten Wendungen und – wie gesagt – in Holz geschnitzt. Ich sah förmlich die Blasen an den Händen des Schnitzkünstlers.

Der Weg war mit buntem Kies bestreut. Alle dreißig Schritte stand eine Lampe. Am Fuße jeder dritten Lampe war eine Bank, weiß gelackt, an deren Rückenlehne «Kurverwaltung Langeney» stand. Der Malkünstler hatte dazu gotische Buchstaben gewählt, die den Schriftzug schwer lesbar, aber sehr vornehm machten. Neben jeder Bank befand sich ein Papierkorb aus weiß lackiertem Drahtgeflecht, dessen Maschen so weit waren, daß kleinere Abfälle, wie Papierschnipsel oder Zündholzschachteln, hindurchfielen und ein malerisches Gesprengel rundum auf dem Erdboden bildeten. Zwei alte Männer mit erloschenen Gesichtern pflegten frühmorgens die leeren Wege entlangzuwandern und mittels eines nagelbewehrten Stockes alles aufzupicken, was nicht zur Schönheit der Kuranlagen gehörte.

Da heute, der Bewölkung wegen, der Sonnenuntergang nicht sehenswert war, oder richtiger: hinter dem Vorhang vor sich ging, fand der allgemeine Abendbummel hier statt, ehe sich die Menge in die Lokale ergoß. Es waren viele Leute unterwegs, meist Gäste – aber auch einzelne Einheimische, die ein bißchen ‹große Welt› schnuppern wollten und sich auf ihre Weise über die auffälligen Gewandungen und das Gehabe der Fremden wunderten und lustig machten.

«Der nächste rechts ist es!» sagte Uschi an meiner Hand. «Aber du kannst doch nicht jetzt...»

«Klar kann ich», sagte ich und ließ sie los. «Geh inzwischen auf und ab und tu so, als ob du mich nicht kennst!»

Auf der Bank neben dem Papierkorb saß ein Ehepaar in mittleren Jahren mit seiner halberwachsenen Tochter. Sie waren sehr verblüfft, als ich freundlich «Guten Abend!» sagte und ohne weitere Erklärung begann, das drahtgeflochtene Gehäuse zu durchwühlen. Sie waren so verblüfft, daß sie mir eine halbe Minute zuschauten, ohne sich zu rühren. Die Mutter öffnete verwirrt ihren Mund, der Vater zwinkerte erschreckt, als ob er's nicht fassen konnte, daß ein einigermaßen normal aussehender und gekleideter Herr ausgerechnet neben ihm in Landstreichersitten verfiel. Die Tochter grinste ratlos.

Ich ließ mich nicht stören, packte ein paar Hände voll zerknautschte Keksschachteln, Obsttüten, Zeitungen, matschige Bananenschalen und zerknüllte Papiertaschentücher aus dem Drahtkorb heraus auf den Kies und durchsuchte jedes einzelne Knäuel, faltete es auseinander, legte es beiseite. Eine ständig wachsende Schar Zuschauer versammelte sich im Halbkreis um mich. Der Vater auf der Bank sagte indigniert: «Komm, Erika!» und erhob sich. Seine Familie folgte folgsam mit einem ängstlichen Seitenblick auf mich.

Aus dem Publikum wurden die ersten Stimmen laut.

«Tausendmarkschein weggeschmissen, wie?» und «Ist doch noch nicht Ostern!» und «Reizendes Hobby, nicht wahr?» ... Da fand ich, was ich suchte. Es war ein spitzer, kleiner Plastikbeutel mit vier Pralinen. In dem Beutel steckte außerdem ein Stück Stoff – Seide oder Nylon. Ich verstaute meinen Fund in der Jackentasche und räumte, nach einem freundlichen Lächeln für die Zuschauer – das aber unerwidert blieb – den Abfall wieder in den Korb. Dann patschte ich mir den größten Schmutz von den Händen, deutete eine Verbeugung an und ging durch die bereitwillig Platz machende Menge davon, den Kiesweg entlang, Richtung DÜNENFRIEDEN – bereit zu rennen, falls sich einige anschickten, mir zu folgen.

Dort, wo der Weg in die Straße mündete, stand Uschi und wartete auf mich.

«Erfolg?» fragte sie.

«Ja», gab ich zurück, «sogar beim Publikum, glaub ich!»

Sechs Minuten später fuhr ich zum zweitenmal an diesem Tag die holprige Tannenstraße entlang im Insel-Peterwagen zu Dr. Knopfs Haus. Diesmal hupte ich nicht, denn es brannte nicht so wie am Nachmittag. Neben mir saß an Stelle eines sehr blassen, stummen, älteren Herrn eine sehr gesprächige junge Dame mit vor Aufregung roten Backen.

«... und du glaubst, daß diese Tüte das ist, was sie heimlich weggeworfen hat?» fragte sie.

«In einer Viertelstunde wissen wir es. Magst du so lange im Auto warten?»

Sie zögerte.

«Dein Brötchengeber befindet sich auch da drin – ich weiß nicht, wie lebendig er inzwischen wieder ist...»

«Nein, laß mich hier bleiben», wehrte sie ab und blieb sitzen.

Mir war das recht. Es gibt Dinge, bei denen auch die geliebtesten Frauen fehl am Platz sind.

Dr. Knopf öffnete auf mein Klingeln selber die Haustür. Er war wieder in Hemdsärmeln, sein Bauch wölbte sich imposant über der Gürtellinie, die unvermeidliche Zigarre brannte in seiner Rechten, im Arm hielt er den geschätzten Dackel.

«Je später der Abend...» krächzte er. «Herein, herein, wenn Sie als Mensch kommen, kriegen Sie auch ein Glas Bier und 'n Schnaps!»

«Aber ich komme dienstlich, leider», sagte ich.

«Dann kriegen Sie nur 'n Bier», erwiderte er, «Schnaps im Dienst, das könnte der internationalen Verbrecherwelt so passen, daß die Augen des Gesetzes das Saufen anfangen. Was gibt's denn? Wollen Sie unseren blassen Pulsaufschneider besichtigen? Der schläft. Er war mal wach, gerade als ich den jüngsten Schlachter abnabelte. Da hat meine schöne Gehilfin ihm mitgeteilt, daß er nicht im Himmel sei. Er hätt es wohl auch nicht geglaubt, bei ihrem Anblick. Sie hat ihm ein bißchen was zu trinken gegeben. Nun schläft er. Wenn es nicht unbedingt nötig ist, würde ich ihn nicht gern wecken.»

«Bloß nicht», sagte ich. «Ich habe einen ganz anderen Wunsch!» Und ich erzählte ihm, während er mich den Gang entlang in das Wohnzimmer lotste, auf einen der großen Sessel schubste und mir – nachdem er seinen Dackel auf den zweiten Sessel gesetzt hatte – ein Bier aus einer bereitstehenden Flasche eingoß – ich erzählte ihm also, was seit unserem gemeinsamen Streuselkuchenessen alles geschehen war.

«Donnerwetter», knurrte er, als ich meinen k.o. schilderte, «das scheint ein rabiates Subjekt zu sein! Mir schwant, ich habe doch den besseren Beruf von uns beiden!» Er ging mit seinem

Bierglas in der Hand hinter meinen Sessel, stellte die Stehlampe so, daß mein musikalischer Hinterkopf beleuchtet war, und tastete meinen Schädel ab.

«Au!» rief ich, als er die Beule befingerte.

«Seien Sie froh, daß Sie noch ‹au› sagen können», meinte er. «Das muß ein stumpfer Gegenstand gewesen sein. Mich wundert nur, warum Ihnen nicht ganz der Garaus gemacht worden ist, wo Sie schon zu Boden gegangen waren.»

«Vielleicht hat jemand gestört, und die Dame ist bei der Ausführung ihres Vorhabens unterbrochen worden.»

«Dame?» fragte er und kam hinter meinem Rücken hervor.

«Zweifellos», sagte ich und berichtete weiter. Dr. Knopf hatte sich auf den Rand des zweiten Clubsessels gesetzt, um seinen schlafenden Hund nicht zu stören und hörte mit ernstem Gesicht zu.

«Und warum verhaften Sie die Holde nicht?» wollte er wissen, als ich von meiner Entdeckung sprach, daß die reizende Witwe vormals eine große Sportlerin, eine Meisterin im Kugelstoßen gewesen war – und als solche geradezu klassisch vorgebildet für den Umgang mit stumpfen Gegenständen.

«Ich konnte bisher nichts beweisen», sagte ich.

«Und jetzt? Können Sie's jetzt?»

«Hoffentlich», sagte ich und fischte vorsichtig den Plastikbeutel mit den Pralinen aus der Tasche. Ich schilderte kurz, wie ich sie gefunden hatte, verhaspelte mich dabei, indem ich von «Uschi» sprach, was bei dem wachsamen Doktor ein Heben der Augenbrauen zur Folge hatte, und sagte schließlich: «Können Sie feststellen, Doktor, ob in den Dingern Gift ist?»

«Nein», erwiderte er, «um Alkaloide oder sonstige schöne Sachen dingfest zu machen, braucht man einige besondere Einrichtungen – und Kenntnisse. Ich habe weder das eine noch das andere...»

Wir schwiegen zwei Minuten. Ich hatte wieder einen Anflug von grenzenloser Müdigkeit. Kein Wunder, ich hätte Kaffee trinken sollen statt Bier. Plötzlich schnippte Dr. Knopf mit den Fingern.

«Warten Sie mal!» sagte er, stand auf, ging zum Telefon und wählte eine Nummer.

«Hallo, Hudewenz», rief er, «sind Sie's selber? Ja – Gut! – Knopf hier. – Das haben Sie schon gehört? – Sie! Werden Sie nicht kiebig! Ehe ich Ihre Halspastillen schlucke, krächz ich lieber noch ein paar Dutzend Jahre. – Nun mal ernsthaft: Haben Sie noch weiße Mäuse? Ja? – Nein, nicht fürs Bett meiner Frau, so was! – Ich komme gleich, streicheln Sie die Viecher inzwischen! Tschüß!» Er legte auf.

«Los!» sagte er zu mir, sah sich suchend nach seiner Jacke um, fuhr hinein, tätschelte den Hund, der sich aufgerichtet hatte, und zog mich zur Tür.

«Ich fahr zu Hudewenz!» schrie er ins Treppenhaus. «Bin gleich wieder da!»

«Das ist eine gute Idee», sagte ich, wieder ganz wach.

«Danke», lachte er, «wenn's mal keine Blinddärme mehr gibt, engagieren Sie mich bei der Kripo. Fahren wir! Schieben Sie mal Ihre Mühle beiseite, damit ich mit meiner raus kann. Wer ist denn das?»

Er hatte Uschi entdeckt. Ich stellte vor. Knopf sagte irgendwas Charmantes zu ihr. Er bemerkte, daß ich kein Kumpel sei, ihm so eine reizende junge Dame zu verheimlichen.

«Aber nun los, Kinder», sagte er, «fahrt mir nach. Haben Sie Ihre Tüte?»

Ich nickte, fuhr den VW von der Einfahrt weg, ließ den Doktor vorfahren und folgte ihm.

«Wohin wollen wir?» fragte Uschi.

«Zu einem Mann mit dem wundervollen Namen Hudewenz», sagte ich, «der hat weiße Mäuse.»

Sie überlegte zwanzig Sekunden. «Ach so», sagte sie dann, «mein Gott – die armen Tiere!»

Herr Hudewenz, Albert mit Vornamen, war der Besitzer der Inselapotheke. Diese befand sich in einem schmalen, zweistökkigen Eckhaus aus dunkelrotem Backstein, den vor etwa siebzig Jahren ein einfallsloser Architekt in gotische Erker, Türmchen, Fenster mit Spitzbogen gequetscht hatte. An die Westseite des Hauses schloß sich der alte Friedhof an, was ich für keine Nachbarschaft hielt. Die Ostseite war zu dieser abendlichen Stunde grün vom Neonlicht einer gegenüberliegenden Bar beleuchtet, die – sinnig, sinnig – ZUR GIFTBUDE hieß. Apotheker Hudewenz, das merkte ich sofort, hatte trotzdem den Humor nicht verloren.

Er war ein Mann in den Fünfzigern, lang, dünn und mit einem grauen Schnauzbart à la Nietzsche geschmückt. Als Dr. Knopf uns miteinander bekannt machte – Uschi war wieder im Auto geblieben, diesmal der Mäuse wegen –, hatte ich die Idee, daß Hudewenz und der Arzt bei jedem Kostümfest als Pat und Patachon unerhörte Triumphe feiern würden, ohne dazu Maske machen zu müssen.

«Bitte, lieber Doktor», bat ich, «erklären Sie Herrn Hudewenz, was wir möchten. Ich würde gern, wenn ich darf, eben telefonieren.»

«Mach ich», sagte Dr. Knopf, «schon für den Fall, daß Sie mich mal engagieren müssen.»

«Hier ist das Telefon!» Herr Hudewenz führte mich in ein kleines Büro, in dem es nicht ganz so nach Pfefferminze und Hautöl duftete wie im Verkaufsraum, wo er uns begrüßt hatte.

Ich rief die Pension an. Gesine war am Apparat. Ich bat sie, Maybom zu holen. Während ich wartete, hörte ich draußen Dr. Knopf mit rauher Stimme erzählen. Von der Straße her ertönte hochgestimmter Männergesang. Ich war froh, daß Uschi im Polizeiauto saß, da war sie vor Späßen einigermaßen sicher.

«Maybom», meldete sich Maybom endlich.

«Lieber Herr Maybom», sagte ich, «bitte sagen Sie Frau Eisenreich, daß ihr Mann friedlich schläft. Außerdem – das dürfen Sie ihr auch sagen – ist er kein Mörder. Sie soll ein bißchen Geduld haben und keine Dummheiten machen. Und dann verlegen Sie Ihr Hauptquartier ins Zimmer sechs zu der hageren Dame Brocksiepen. Lassen Sie sie nicht aus den Augen, lassen Sie sich nichts anbieten! Fragen Sie – damit Ihre Anwesenheit begründet ist – nach den Lebensgewohnheiten des Toten, nach seiner Kindheit, seinen Aufsatzzensuren ... was weiß ich. Sie müssen das so machen, als sei es eine Routinebefragung, klar?»

«Jawohl! Verstanden, Herr Oberkommissar!» schnarrte Maybom. Am Telefon schien es ihm noch schwerer zu fallen, mich ‹Klipp› zu nennen.

«Ich bin in einer halben Stunde dort – so lange müssen Sie die Dame beschäftigen! Wenn was ist, rufen Sie mich hier an!» Ich entzifferte die Nummer am Telefonapparat und nannte sie ihm. Er wiederholte sie, wie er's gelernt hatte.

«Toi, toi, toi! Und schönen Dank!» sagte ich – was er nicht beantworten konnte, denn ‹Toi, toi, toi› ist in der Dienstvorschrift nirgends vorgesehen. Ich legte auf und ging zurück zu Dr. Knopf und Herrn Hudewenz.

«Ich habe gerade noch sieben Stück», sagte der Apotheker. Mein müdes, heißgelaufenes Gehirn brauchte sechs Sekunden, um zu schalten, bis ich wieder wußte, daß es sich um weiße Mäuse handelte.

«Drei davon können wir aber nur nehmen», fuhr er fort, «die anderen sind Zuchtpaare. Ich brauche sie für eine erbbiologische Versuchsreihe, an der ich arbeite.»

«Gut», sagte ich.

«Darf ich bitten!» forderte Hudewenz mit einer Handbewegung zur Tür uns auf.

«Gehen Sie besser voran», meinte der Doktor, «in Ihrem Fuchsbau brechen wir uns sonst die Knochen!»

«Besser Fuchsbau als Storchennest», gab der Apotheker kiechernd zurück, schob eine schmale, niedrige Tür zwischen den Arzneiregalen auf und ging, sich bückend, hinaus.

«Storchennest? Worüber muß ich da lachen?» fragte Knopf und bugsierte mich vor sich her.

«Na – Ihre ewige Babyholerei! Wundert mich, daß die Schulkinder noch nicht mit Fingern zeigen und ‹Adebar› rufen, wenn Sie auftauchen.»

«Ein Glück, daß Sie das so meinen», sagte Dr. Knopf. «Ich dachte schon, es sei eine Anspielung auf meine Figur!»

Wir lachten, eine Treppe hinabsteigend, die vom Lagerraum aus in den Keller führte. Der Apothekenduft wich mehr und mehr dem scharfen Geruch von Mäusen und Moder. Ich fragte, ob ich rauchen dürfe.

«Eine blendende Idee!» sagte der Doktor. «Lieber gehen wir mit Ihrem Nitroglyzerin in die Luft, Hudewenz, als daß wir an Ihrem Mäusemief ersticken!»

«Es riecht in der wahren Wissenschaft manchmal nicht so

gut, wie über aufgeschnittenen Bäuchen», meinte Hudewenz trocken.

Ich war drauf und dran, ‹Zwei zu null› auszurufen. Dr. Knopf lachte und hustete heftig. Das klang in dem Gewölbe hier unten noch gewaltiger als über der Erde.

Der Apotheker klinkte eine Brettertür auf, und nun schlug uns der Mäusegestank wie eine Rauchwolke entgegen.

«Heiliger Strohsack!» schnaufte der Doktor, kam aber tapfer mit in den kleinen Kellerraum, an dessen Wänden Regale voller Drahtkäfige standen. Bis auf drei waren die Käfige, die wie Vogelbauer aussahen, leer. An allen hingen kleine schwarze Schiefertafeln, die bei den bewohnten mit Zeichen und Zahlen bekritzelt waren. Hudewenz hob den einen Käfig herunter und stellte ihn auf einen Holztisch, den er vorher unter die unbeschirmte Lampe geschoben hatte, die den Mäusekeller erhellte.

Zwei der weißen, rotäugigen Nagetiere wuselten auf dem torfmullbedeckten Boden des Drahtgehäuses herum. Vom dritten sah man nur die zierliche rosa Schnauze aus einem Häufchen Holzwolle gucken.

«Das sind die drei», sagte der Apotheker.

«Wir müßten sie einzeln haben, wenn es irgendwie zu machen ist», überlegte ich.

Hudewenz nickte, klappte den Käfig oben auf, griff mit sicheren Fingern hinein und angelte die erste Maus heraus.

Er hielt sie in der geschlossenen Hand und nahm von einem der Regale ein oben offenes, viereckiges Glasgefäß. Da hinein setzte er das Tier, das sich – possierlich anzusehen – an den Glaswänden aufrichtete und die Nase schnuppernd in die Höhe streckte. Ich sah mich nach einem Aschenbecher um.

«Werfen Sie sie ruhig auf die Erde», sagte Hudewenz.

Dann holte ich den Plastikbeutel mit den Pralinen aus der Tasche. Vorsichtig – eventueller Fingerabdrücke wegen – faßte ich ihn wieder mit meinem Taschentuch an und kippte seinen Inhalt auf den Tisch. Das zusammengeknüllte Stoffstück, das über den Pralinen war, sprang auseinander. Es schien ein zerrissener Damenstrumpf zu sein. Die Pralinen kullerten heraus. Allerhand Sand rieselte über das Stilleben. Ich hatte beim Anblick des Sandes eine Gedankenverbindung, ging ihr aber nicht nach, sondern registrierte sie nur, weil ich im Augenblick zu gespannt war, was geschehen würde.

Ich wickelte eine der Pralinen aus ihrer Stanniolhülle und legte sie zu der weißen Maus ins Glas. Die Maus floh zunächst vor meiner Hand, kam aber, als sie die Schokolade roch, sofort aus ihrer Ecke und fing nach kurzem Geschnüffel an, das Schokoladending zu benagen.

Es war sehr still. Nur das eine Mäusepaar auf dem Regal hinter uns raschelte in seinem Käfig. Ich glaube, auch die zwei anderen Männer hielten vor Spannung den Atem an. Die Praline rutschte auf dem glatten Glasboden. Die Maus versuchte, sie festzuhalten, schob sie aber schließlich – intelligent – in einen Winkel. Sie brauchte knapp zwei Minuten, um die Schokolade an einer Stelle durchzunagen. Darunter trat eine rosafarbene, dickflüssige, sehr süß aussehende Füllung zutage, über die sich das Tier mit großem Eifer hermachte. Ich meinte, das genießerische Schmatzen zu hören. Die Bewegungen der Maus waren bisher unverändert.

Die Bewegungen der weißen Maus blieben auch unverändert, je länger sie fraß.

«Nichts!» sagte Dr. Knopf. «Absolut gar nichts! Wenn da auch nur ein Bruchteil des Giftes drin wäre, an dem – meiner Vermutung nach – Brocksiepen gestorben ist, dann hätte das kleine Stinktier längst seine Seele ausgehaucht. Probieren Sie die andern. Herr Klipp, machen Sie's kurz – ich empfinde diese Zuchtanstalt nicht als schönen Aufenthalt!»

«Deshalb brauchen Sie nicht gleich Gedichte zu machen!» spottete der Apotheker, trennte die erste weiße Maus von der Praline, legte sie auf den Tisch, setzte die zweite ins Glas und die erste zurück in den Käfig und gab die nächste Praline, die ich indessen ausgewickelt hatte, der zweiten zum Probieren.

Das Spielchen wiederholte sich bis in alle Einzelheiten noch zweimal, nur daß die Pralinen-Füllungen verschieden waren. Alle drei Mäuse überstanden die Versuche. Die erste mußte zum Schluß noch an der vierten Praline knabbern, aber auch da geschah nicht das Geringste... Ich sammelte die angenagten Pralinen behutsam wieder in den Plastikbeutel.

«Das ist zwar gut für Ihre Mäuschen, Herr Hudewenz», sagte ich, «aber schlecht für meine Arbeit. Ich hätte den Kollegen von der Mordkommission zu gerne gesagt: ‹Da ist der Tote, da die Mörderin und hier das Werkzeug. Vorsicht, sehr giftig!› – Nun, dann muß ich's andersrum probieren. Schönen Dank für die Hilfe jedenfalls!»

In diesem Augenblick fiel mein Blick auf den zerrissenen Perlon- oder Nylonstrumpf und auf den Sand, der in seinen Falten saß und ihn umgab.

«Sie haben sich ja so intensiv meinen Hinterkopf betrachtet, Herr Doktor», wandte ich mich an Knopf, «könnte der stumpfe Gegenstand, von dem Sie so liebevoll sprachen, vielleicht ein Strumpf gewesen sein, ein Damenstrumpf – schön stramm mit Sand gefüllt, mit dem berühmten weißen Sand von Langeney?»

Dr. Knopf nickte.

«Du hättest ruhig mitkommen können», sagte ich draußen im Auto zu Uschi. «Alle weißen Mäuse des Herrn Hudewenz leben noch!»

«Und nun?» fragte sie und legte mir tröstend die Hand auf den Arm.

«Mal sehen», sagte ich. Ich mußte immerzu an den stramm gefüllten Sandstrumpf denken. Es waren grimmige Gedanken, die mich erfüllten, viel zu grimmig für einen Mann, der von Amts wegen dazu da ist, ein Verbrechen aufzuklären. Aber da soll mal einer nüchtern und sachlich bleiben, wenn er in so enge Berührung mit stumpfen Gegenständen gerät.

Über all den Attraktionen – vom Kurpark-Papierkorb bis zur Mäusefütterung – war es halb zehn Uhr geworden. Ich hatte etwa noch eine bis eineinhalb Stunden Zeit. Dann mußte ich sagen: ‹Ja, ich weiß, wer's war› – oder: ‹Nein – ich vermute zwar einiges, aber es tut mir leid, nichts Genaues weiß ich nicht.›

Ich würde das zweite sehr ungern sagen, aus Ehrgeiz, aus Eitelkeit – die ja meistens der siamesische Zwilling von Ehrgeiz ist –, aus allerlei anderen Gründen, die größtenteils mit dem stumpfen Gegenstand zusammenhingen. Noch sechzig bis neunzig Minuten …

Nachdem ich Uschi gebeten hatte, mir noch eine Weile Urlaub zu geben, damit ich versuchen könne, die angefangene Sache zu Ende zu bringen, klopfte ich erst mal an der Tür des Zimmers fünf. Gesine, die mit Frau Wulze in der Veranda saß und Radio hörte, hatte mir gesagt, daß die Damen alle auf ihren Zimmern seien. Hilda Brocksiepen, auf deren leises «Herein» ich eintrat, stand aus dem Sessel auf, in dem sie im Dunkeln gesessen hatte, und machte Licht. Sie hatte ein vom Weinen verquollenes Gesicht, und ihr Haar war so unordentlich, daß ich mich unwillkürlich umsah, ob denn kein Spiegel im Zimmer sei. Auf dem Tisch, dem Bett und vor dem offenen Schrank standen Koffer und eine Hutschachtel. Sie waren gepackt, aber nicht geschlossen, wohl damit die Kleider nicht zu sehr zerknitterten.

«Bitte entschuldigen Sie, Fräulein Bocksiepen», sagte ich, «daß ich Sie noch störe – darf ich etwas fragen?»

Sie schluchzte und nickte und deutete auf einen Stuhl. Wir saßen uns unter der trübseligen Lampe in dem ungemütlichen Zimmer gegenüber, das durch die Gepäckstücke noch ungemütlicher wurde.

«Haben Sie irgendeine Idee, eine Ahnung, einen Verdacht – wer Ihren Neffen getötet haben könnte?» fragte ich.

«Nein ...» Nun weinte sie wieder richtig. Ihr ‹Nein› klang brüchig und zitterig. «Er war ein so guter Junge!»

«Und wer ist Ihrer Meinung nach am gestrigen Abend, oder richtiger: in der gestrigen Nacht – zuletzt in seinem Zimmer gewesen? Um ihm ‹Gute Nacht› zu wünschen – oder so?»

«Ich weiß nicht», sagte Hilda Brocksiepen, sah mich nachdenklich an und zuppelte an ihrer Unterlippe. «Meine Schwester vielleicht –? Die legt für Harald immer einen Betthupfer hin – einen Apfel, eine Apfelsine oder so.»

«Oder auch mal Schokolade?»

«Schokolade nicht – nein! Harald mag ...» Sie korrigierte sich erschrocken: « ... mochte keine Schokolade. Ich war auch dagegen vor dem Einschlafen. Es ist Gift für die Zähne ...»

«Es ist Gift für die Zähne ...» wiederholte ich geistesabwesend. «Er aß also nie Schokolade?»

«Nein, nicht nie – aber selten», sagte die Tante. «Nur für Cremehütchen schwärmte er. Ulkig, nicht?»

«Cremehütchen – natürlich!» Meine Kombination, die eben schrecklich ins Wackeln gekommen war, stand wieder fest.

«Ja – Fräulein Brocksiepen, das wäre es denn...» Ich erhob mich.

«So?» sagte sie, offensichtlich enttäuscht.

«Gute Nacht! – Wann geht das Schiff denn morgen vormittag?» fragte ich noch.

«Gegen neun», erwiderte sie.

«Es tut mir leid», sagte ich, «aber ich bin noch nicht sicher, ob man Sie wegfahren läßt! Heute abend kommen noch ein paar Herren aus Neustadt, die dann die Untersuchung weiterführen – ich fürchte, die werden niemand abreisen lassen...»

«Nicht abreisen?» Sie war echt überrascht. «Aber warum? Meine Schwester hat doch alles schon geregelt. Da muß ich ihr gleich –»

«Nicht nötig», sagte ich, «das übernehme ich schon. Ich will sowieso noch zu Ihrer Schwester nach nebenan. Gute Nacht, Fräulein Brocksiepen!»

«Gute Nacht!» sagte sie weinerlich noch einmal und gab mir ihre kleine, dicke Hand, die warm und feucht war und schlaff wie ein ausgemolkenes Kuheuter.

Ich blieb zwei, drei Minuten auf dem Flur stehen, um mich auf die letzte Runde zu konzentrieren. Es waren erst ungefähr zwanzig Stunden vergangen, daß sich über den ein wenig abgetretenen Sisalläufer, auf dem ich stand, vier Menschen in des schönen Harald Brocksiepens Zimmer begeben hatten. Drei davon mit der Absicht, ihn zu töten.

Aus dem Erdgeschoß hörte ich gedämpft das Radio dudeln. Sonst war alles ruhig. Auch aus Agathe Brocksiepens Zimmer kam kein Laut. Ich holte tief Luft, klopfte und trat ein. Gut, daß ich tief Luft geholt hatte: die hagere Sechzigerin, die am Fenster stand, fuhr quer durchs Zimmer auf mich los, als ob sie nur darauf gewartet hatte, daß ich kam: «Es ist unglaublich, Herr Klipp, was hier vor sich geht! Ich werde mich beschweren! Jawohl, beschweren werde ich mich! Ihre vorgesetzte Behörde oder Dienststelle soll wissen, mit was für unerhörten Mitteln Sie Ihre sogenannte Untersuchung führen! Das lasse ich mir nicht bieten! Sie scheinen nicht zu wissen, mit wem Sie es zu tun haben! Erst untersagen Sie uns – uns, den nächsten Angehörigen –, unseren Neffen zu sehen, Sie informieren uns nur unvollständig, wir werden wie Verdächtige, ja, wie Verbrecherinnen behandelt – den ganzen Tag über dürfen wir das Zimmer nicht verlassen ... Sie lassen den Toten wegschaffen, ohne uns zu fragen ... und schließlich setzen Sie mir noch Ihren Polizisten ins Zimmer ... als ob es nicht genug wäre, daß er wie ein Wachhund auf dem Gang auf und ab läuft!

Falls Sie glauben, werter Herr Kriminalkommissar, oder was Sie auch immer sein mögen – Ihre Legitimation habe ich ja auch noch nicht gesehen –, falls Sie glauben, daß dieses selbstherrliche Gehabe, diese himmelschreienden Anordnungen, diese unverschämte Rücksichtslosigkeit, daß das alles ohne Folgen für Sie bleibt – da haben Sie sich aber gründlich geirrt! Wir leben in einer Demokratie und haben Anspruch auf anständige Behandlung! Ich werde mich beschweren!»

«Das sagten Sie schon einmal», erwiderte ich lächelnd und wandte mich von der Schimpfenden, die mit verkniffenem Mund und funkelnden Augen vor mir stand, zu Maybom, der auf einem offensichtlich unbequemen Stuhl saß und mich mit einer Mischung aus Ergebenheit und Erschöpfung ansah. «Es wird langsam Zeit, zum Hafen zu fahren, Herr Maybom», sagte ich.

Er erhob sich aufatmend.

«Falls Herr Korn oder einer der anderen Herren Sie fragt, dann sagen Sie bitte, ich wäre recht guter Dinge.»

«In Ordnung, Herr Oberkommissar», knarrte er und ging mit einem wenig freundlichen Blick auf Tante Agathe zur Tür.

Als er draußen war, wollte ich etwas sagen, aber ich kam nicht dazu.

«Was soll das?» zischte Frau verwitwete Sötebeer geborene Brocksiepen.

«Was soll was, gnädige Frau?» Ich tat erstaunt.

«Warum gehen Sie nicht? Ich habe keinen Bedarf mehr an Gesprächen mit Polizisten! Die dreiviertelstündige Anwesenheit Ihres Dorfgendarmen hat mir schon fünfundvierzig Minuten zu lange gedauert. Es ist zehn Uhr, wenn ich Sie darauf aufmerksam machen darf! Außerdem bin ich nicht Ihre ‹gnädige Frau› – ein für allemal!»

«Wünschen Sie, daß ich ‹Frau Sötebeer› zu Ihnen sage?» fragte ich und sah mich um. Auch ihre Koffer schienen gepackt zu sein, standen aber geschlossen neben der Waschnische. Bello, der rundliche Rehpinscher, lag auf einem karierten Plaid daneben. Er lag ganz still, musterte mich aber mit seinen herausquellenden Augen aufmerksam, den Kopf zwischen den Vorderbeinen.

«Wie kommen Sie darauf?» Sie fragte – offenbar verwirrt – und trat einen Schritt zurück, auf das Sofa zu, das im rechten Winkel zu ihrem Bett stand.

«Heißen Sie nicht so?»

«Ich habe nach dem Tod meines Mannes meinen Mädchennamen wieder angenommen», sagte sie. Sie setzte sich. Meine Kenntnis ihrer intimen Vergangenheit schien ihr in die Knie gefahren zu sein.

Ich zog mir einen Stuhl heran und nahm unaufgefordert Platz. Sie wollte wieder hochgehen, blieb aber auf meine beschwichtigende Handbewegung sitzen, zog plötzlich ein Taschentuch aus dem Ärmel ihrer schwarzen Kostümjacke und preßte es mit einem trockenen Schluchzer vors Gesicht.

Ich ließ sie schluchzen. Das dauerte eine ganze Weile. Sie hatte große, kräftige Hände.

«Wollen wir uns nicht besser zu vertragen versuchen, Frau Brocksiepen?» fragte ich, als sie schließlich das Taschentuch wieder sinken ließ. «Sehen Sie – ich habe kein Interesse daran, Sie zu ärgern. Aber ich muß Ihnen noch ein paar Fragen stellen – vielleicht, daß es mir mit Hilfe Ihrer Antworten gelingt, den schrecklichen Tod Ihres Neffen aufzuklären. Und daran ist Ihnen doch auch gelegen, nicht wahr?»

Ich hatte so sanft und freundlich gesprochen, daß ich fürchtete, es sei zu sanft und freundlich gewesen, um glaubhaft zu sein. Doch sie ging auf den Leim meiner Rede und sagte lächelnd: «Sie müssen bitte Verständnis haben, Herr Klipp, wenn ich mit den Nerven ...»

«Treiben Sie noch Sport?» fragte ich dazwischen.

Sofort verschwand ihr Lächeln, das ohnehin nur ein Lippenlächeln gewesen war. Ihre Augen hatten nichts an Gespanntheit und Härte verloren.

«Ich verstehe nicht...» sagte sie überrascht.

«Nun – ich weiß, daß Sie früher sehr aktiv waren, sogar zu den Olympia-Hoffnungen zählten Sie, wenn ich richtig informiert bin. Wie ist das?»

«Aber ich bitte Sie», sie war sehr unsicher geworden, «ich bin Mitte Sechzig und... was hat das... mit Haralds Tod zu tun?»

«Haben Sie den Kuchen aufgegessen?» fragte ich – ohne auf ihre Frage einzugehen.

«Kuchen?» Sie sah mich an, wie man einen Illusionisten ansieht, der bunte Kugeln jongliert, verschwinden läßt und an den unerwartetsten Stellen wieder herbeizaubert.

«Sie haben Gesine, das Hausmädchen, als sie das Kurhaus verließ, gebeten, Ihnen ein Messer aufs Zimmer zu legen, damit Sie sich noch ein Stück Kuchen abschneiden könnten – Sandkuchen, wenn ich nicht irre...» Ich machte eine Pause.

Sie schwieg ebenfalls, starrte mich an und so was wie Triumph kam in ihr Gesicht.

«...und dieses Messer ist in der Brust Ihres Neffen...»

«O Gott... o Gott... o Gott!» rief sie. «Das Mädchen hat es getan! Und *ich* bin es indirekt gewesen, die sie auf den Gedanken gebracht hat, indem ich um ein Messer bat!» Wieder traten Taschentuch und Schluchzen in Aktion. Diesmal dauerte es nicht so lange wie vorhin. Sie blickte auf, machte große, große Augen, sah an mir vorbei, als ob sie zu einem Geist spräche, der hinter mir neben der Tür stünde, und murmelte monoton, schwer atmend, in zerhackten Sätzen: «Ich habe den Jungen gewarnt – ja, ja, ich habe ihn gewarnt – ‹Beherrsche dich, mein Junge›, habe ich zu ihm gesagt, ‹spiele nicht mit der Liebe – sieh dich vor, daß du nicht Haß erzeugst›, habe ich gesagt – ‹der Haß einer verschmähten Frau kann tödlich sein...› – als ob ich's geahnt hätte. Als ob ich diese ganz schreckliche Begebenheit geahnt hätte!»

Das war großartig. Ich ließ ihr die Prophetenschau noch ein bißchen, dann aber jagte ich das Gespenst weg und fragte: «Darf ich rauchen?»

«Bitte, aber natürlich!» rief sie wie erwachend und sah sich suchend nach einem Aschenbecher um. Auf dem Nachttisch stand einer. Sie reichte ihn mir herüber. Unsere Hände berührten sich. Die ihre war ganz kalt.

«Hatte er denn solche Warnungen nötig, Ihr Neffe?» fragte ich.

Sie nickte. «Ja. Er war in diesen Dingen ganz unglaublich leichtsinnig. Nun – die Frauen machten es ihm auch gar nicht schwer. Ich habe oft und oft meinen ganzen Einfluß gebraucht, um ihn vor Dummheiten zu bewahren. Es war ja im Grunde noch ein Kind, Herr Klipp, ein hübsches, großes, verwöhntes Kind ...»

«Das Sie erziehen mußten, beaufsichtigen, beraten und lenken, nicht wahr?»

«Genauso! Sie sagen es, Herr Klipp, genauso!» Ach, wie froh sie war, mal so richtig von Mensch zu Mensch mit mir reden zu können.

«Wie sah das denn rechtlich aus, gnädige Frau? Sie und Ihre Schwester waren beide als Vormund eingesetzt, nicht?»

«Ja», sagte sie – schon wieder auf der Hut.

«Da hat der Junge ja Glück gehabt. Solche verantwortungsbewußten, mütterlichen Frauen ...» Ich verscheuchte mit diesem Satz wie mit einer Handbewegung die Fliegen ihres Mißtrauens. «Aber Ihr Bruder hat Sie gewiß mit Bedacht dafür ausgewählt», fuhr ich fort. «Ist eigentlich –» das sagte ich im gleichen Tonfall und Atemzug – «ist eigentlich für den Fall des vorzeitigen Ablebens von Harald eine testamentarische Regelung vorgesehen?»

«Nein –» entschlüpfte es ihr. «Nein – nicht ... Ich weiß nichts ...» stotterte sie und verkniff schon wieder die Augen.

«Also wird nach der gesetzlichen Erbfolge geteilt», stellte ich sehr beiläufig und nüchtern fest. «Ist das Vermögen denn groß?»

Sie floh hinter ihr Taschentuch. «Der arme Junge!» stöhnte sie. «Der arme Junge! Daß er plötzlich nicht mehr da sein soll ...»

Diesmal dauerte es sehr lange.

«Haben Sie das Mädchen schon verhaftet? Ich habe sie doch vorhin noch ...» fragte sie dann mit erstickter Stimme.

«Nein», sagte ich.

«Nein?» Ihre Hände zerrten das arme Tüchlein in ihrem Schoß. «Ja – aber, aber wenn sie doch . . .»

«Sie war es nicht», sagte ich.

«Bitte, Herr Kommissar», flüsterte sie ernsthaft und schloß gequält die Augen, «bitte – es ist doch wohl nicht der Zeitpunkt und die Situation für solche Spiele! – Sie haben vor ein paar Minuten gesagt, daß das Mädchen meinen Neffen mit jenem Messer . . .»

«Bedaure», unterbrach ich, «da müssen Sie sich verhört haben, gnädige Frau!» Ich stand auf und rückte den unbequemen Stuhl beiseite und setzte mich auf die Bettkante und zündete mir eine neue Zigarette an. Ich ließ sie schmoren.

«Ich verstehe gar nichts mehr», hauchte sie und wollte schon wieder hinters Taschentuch.

«Das Messer hat der Dr. Eisenreich Ihrem Neffen ins Herz gestoßen!» sagte ich. «Er hat es bereits gestanden.»

«Dr. Eisenreich? Und er hat – bereits gestanden?» Ich sah ihr an, welche Mühe sie hatte, ein Lachen zu unterdrücken.

«Ja», fuhr ich fort, «die Eifersucht!»

Es gab eine neue Pause. Agathe Brocksiepen machte ihren Rücken gerade und sah nach der Uhr. Es war eine hübsche Platinuhr, die sie am rechten Handgelenk trug.

«Wie spät ist es bitte?» wollte ich wissen.

«Zwanzig nach zehn», sagte sie – sehr kühl, sehr von oben herab.

«Danke!» erwiderte ich und stand auf. «Dann muß ich aber jetzt gehen, Gnädige – pardon, Frau Brocksiepen!»

An der Tür drehte ich mich um. Mir war, als versteckte sie schnell ein spöttisches Lächeln.

«Eins noch zum Schluß, bitte», sagte ich leise, «wie war das mit dem Kuchen?»

«Kuchen? – Ach so, ja . . .» Sie saß schon wieder so auf dem hohen Roß, daß sie gar nicht merkte, wie ich die Sattelschnallen aufmachte. «. . . Ja, den Kuchen habe ich aufgegessen. Bello hat mir dabei geholfen. Er mag sehr gern Süßigkeiten, der kleine Schatz!»

«Da fällt mir ein», sagte ich heiter, «daß ich ja noch eine Praline in der Tasche habe. Ein Cremehütchen oder wie die Dinger heißen. Ich fand es heute früh unter dem Bett Ihres Neffen, Frau Brocksiepen...» Ich angelte eine der Mäusepralinen heraus – die am wenigsten angefressene – und bückte mich: «Komm, mein Hundchen», lockte ich und hielt dem Rehpinscher die flache Hand hin.

«Nein!» schrie Agathe Brocksiepen gellend, sprang auf, sprang auf mich zu und schlug nach meiner Hand, der sich der Hund schon näherte.

«Nein, nein! Um Himmels willen, nein, nein, nein!» Sie schrie und schrie.

Ich richtete mich langsam auf und sah sie an. Sie verstummte, wurde ganz fahl und wich zurück. Draußen wurden Stimmen und Schritte laut. Die Tür flog auf. Maybom stand da, neben und hinter ihm mehrere fremde Herren in Zivil. Ein großer, blonder, mit Sommersprossen schob sich vor.

«Guten Abend, Herr Korn!» sagte ich, denn ich erkannte ihn wieder. «Bitte, verhaften Sie Frau Agathe Sötebeer geborene Brocksiepen wegen vollendeten Giftmordes an ihrem Neffen Harald!»

Sie war so fertig, daß sie alles sofort gestand.

Sie hatte die Absicht gehabt, dem vergifteten Harald das bei Gesine bestellte Messer mit den Fingerabdrücken des Mädchens selber ins Herz zu stoßen. Sie war entsetzt gewesen, als sie kein Messer in ihrem Zimmer fand, nachdem sie zwei vergiftete Pralinen auf des Neffen Nachttisch gestellt hatte. Sie hatte danach in ihrem Zimmer auf der Lauer gelegen, hatte gewartet, bis alles still war – auch die Geräusche des gespenstischen Reigens, den Gesine und die Eisenreichs aufgeführt hatten, waren ihr nicht entgangen –, und dann war sie noch mal in Haralds Zimmer gewesen. Sie fand zu ihrer Verblüffung und maßlosen Erleichterung nun doch ein Messer in seiner Brust, obschon sie sich nicht erklären konnte, wer den Stich geführt hatte. Und hatte sich dann völlig sicher gefühlt, bis sie mich am Nachmittag auf dem Flur das Wort ‹Schokolade› zu Maybom sagen hörte. Da war sie in Panik verfallen, hatte sich in der Besenkammer nach einer Waffe umgesehen, dabei einen Eimer mit Sand entdeckt, einen Strumpf damit gefüllt und mich in Frau

Wulzes Zimmer erwartet, während ich Haralds Zimmer durchsuchte.

Sie hatte kräftig zugeschlagen – ich fühlte die Beule noch. Der Strumpf war geplatzt. Aber dann hatte es eine Störung gegeben, Frau Wulze war im Treppenhaus zu hören. Agathe Brocksiepen erreichte gerade noch ihr Zimmer, ging, ohne gesehen zu werden – zum Kurpark, um die restlichen Pralinen und den zerrissenen Strumpf beiseite zu bringen, ahnte dabei jedoch nicht, daß Uschi gerade mit den Kindern Versteck spielte... Na, und so weiter.

Es war halb zwölf, als Korn sie abführen ließ. Er wollte noch zu gern mit mir zusammensitzen, aber ich vertröstete ihn auf den nächsten Morgen.

In Uschis Zimmer war noch Licht, als ich über die knarrende Treppe an ihre Tür kam. Ich öffnete leise. Sie lag angezogen auf dem Bett, vom Schein ihrer Nachttischlampe sanft bestrahlt, und schlief. Ich setzte mich neben sie auf einen Hocker und betrachtete sie.

Zauberhaft sah sie aus.